En Route to Mecca

Pilgrims' Voices Throughout the Centuries

This book is published in conjunction with the *En Route to Mecca: Pilgrims' Voices Throughout the Centuries* exhibition, launched in October 2009.

Publisher: Islamic Arts Museum Malaysia

Writers: Nurul Iman Rusli and Zulkifli Ishak

Editor: Lucien de Guise

Translation supervisor: Ros Mahwati Ahmad Zakaria

Designer: Alnurmarida Alias

Exhibition designers: Md Rezad Adnan and Badly Shah Abu Bakar

Project Managers: Nurul Iman Rusli and Zulkifli Ishak

Museum photography: Mohd Faizal Zahari

Colour separation, printing and binding: MPH Group Printing (M) Sdn Bhd

© 2009 IAMM Publications

Perpustakaan Negara Malaysia   Cataloguing-in-Publication Data
En Route to Mecca : pilgrims' voices throughout the centuries = Menuju ke
Makkah : catatan perjalanan sepanjang zaman
Bibliography : p.100
ISBN 978-983-44696-2-7
1. Muslim pilgrims and pilgrimages--Saudi Arabia--Mecca--Catalogs.
2. Muslim pilgrims and pilgrimages--Saudi Arabia--Mecca--Exhibitions.
I. Title : Menuju ke Makkah : catatan perjalanan sepanjang zaman.
297.352

Contents

The Sanctuary   20

The Ka'bah has never been worshipped in itself. Instead, it has been the holiest site in Arabia and is central to the lives of Muslims around the world. Since the time of the Prophet Ibrahim its role has been a sanctuary. Retracing the early history of Islam, it is recorded that Ibrahim had left his wife Hajar and their infant son Ismail in the barren valley of Mecca, described in the Qur'an as, "the valley without cultivation." (Surah Ibrahim: 37)

A Spiritual Bond   28

Why is Hajj so significant to Muslims? Unlike other journeys, this is a spiritual expedition with the sole intention of worshipping Allah in His house. Pilgrims sacrifice their time, money, comfort and worldly pleasures as they seek to surrender to Allah and seek His mercy. The sense of obligation ordained upon Muslims has given them the strength to endure hardships and to be parted from their families. In retracing the footsteps of the prophets, Hajj provides an unforgettable lesson about piety and virtue.

Sense of Purpose   38

Despite being a less rigorous experience than it was in the past, Hajj is undertaken with the utmost conviction. Since the earliest days, communities have participated in this by offering prayers that seek the safe return of those on 'Hajj Mabrur' (a Hajj graced with Divine acceptance and pleasure).

The impact of this incomparable journey on the pilgrims begins as early as the preparation stage. Their whole disposition changes as the focus turns to gaining the approval of Allah. In order to achieve this goal, pilgrims have to rectify their relations with Allah and fellow Muslims. It is essential to repent for all sins, whatever the intention. At the same time, forgiveness is sought from family, relatives and friends for any misbehaviour.

A Sacred Invitation   56

The Hajj pilgrimage is a Pillar of Islam. This obligation upon every able-bodied Muslim is universal, reaching across the entire globe. The command is the same for the entire diversity of Islam, with its ever-widening range of ethnicity, nationality and position in society. It is the greatest gathering on earth, and at the same time an assembly of individuals. Regardless of a pilgrim's origins, the call to Mecca is a sacred invitation to the House of Allah.

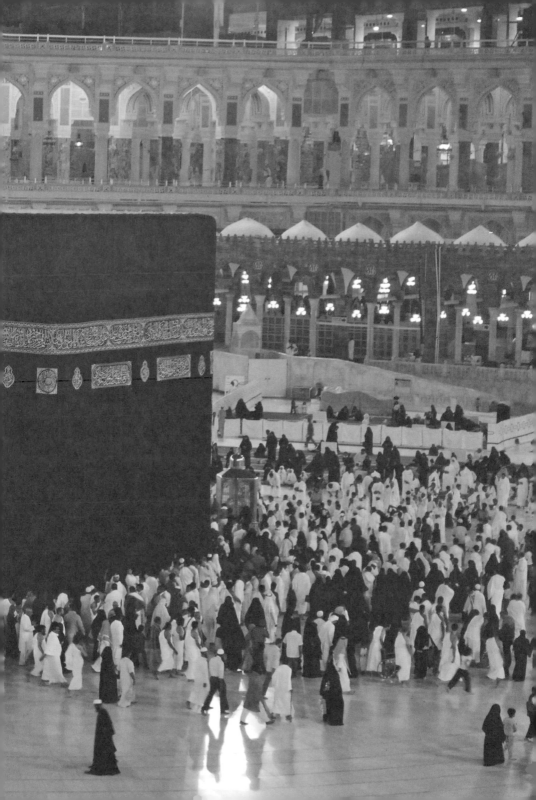

Chairman's Foreword

"Pilgrimage thereto is a duty men owe to God, those who can afford the journey"
(Surah Ali Imran: 97)

Nothing embodies the universal nature of Islam better than Hajj. Pilgrims converge from every corner of the earth, and these days they are accompanied by unprecedented media coverage from around the world. The gathering of three million worshippers is an impressive spectacle, as well being an exclusive occasion. Being restricted solely to Muslims adds another dimension of interest for a world that wishes to learn more about Islam. Hajj is Islam in microcosm: an assembly at which rank and riches are of less concern than a sense of community. All of this is apparent in the news reports and other types of information that are filtered back. The aspect that receives less coverage is how the pilgrims reach their goal.

Although Hajj is often referred to as the 'journey of a lifetime', there is remarkably little attention given to the pilgrims' means of travel. The exhibition *En Route to Mecca: Pilgrims' Voices Throughout the Centuries* focuses on the sense of anticipation and adventure that the faithful have always encountered on their way to fulfilling this Pillar of Islam. In an age of comparatively painless jet travel, the hardships have been reduced. Also gone is the time when a pilgrimage might be numbered in years rather than days. The objective and rituals have remained the same for more than fourteen hundred years, but the means of achieving these has been altered beyond recognition.

To a large extent, the development of Hajj is a record of human ingenuity as well as religious devotion. This exhibition and the accompanying publication take readers and visitors back in time. As the ultimate exemplar, there is the Prophet Muhammad ﷺ himself. Numerous other pilgrims from different eras are also featured, giving accounts of an experience that has changed countless lives.

Regardless of where they came from or what their position might have been, Hajjis and Hajjahs have made the journey knowing it might be their last. It has always been irresistible. In addition to being a religious duty, Hajj has long been the culmination of a Muslim's life. To be in Allah's house, a location towards which more than a billion of the faithful pray five times a day, is worth making many sacrifices for. It was once a quest undertaken only by the intrepid. These days, the demand outstrips the supply of places available. With quotas on every country there is a new type of exclusivity. Hajj has lost none of its allure.

A museum can offer more than beautiful objects to look at. It can also tell a story, and there are few better stories than those of the men and women through the ages who have made the journey to Mecca. The route and the surroundings may always have been inhospitable, but the destination made the hardship worthwhile. The Yayasan Albukhary is proud to have assisted more than 600 pilgrims from different parts of the world by relieving them of at least the financial burden of Hajj.

Syed Mokhtar Albukhary

Director's Introduction

"Help ye one another in righteousness and piety, but help ye not in sin and rancour"
(Surah Al-Ma'idah: 2)

The 12th month of the Islamic lunar calendar marks an event of the greatest significance. It is an annual convention of faith that brings Muslims from different parts of the globe together at the holiest site in Arabia for a single purpose: to carry out the duty of Hajj. Unlike other journeys, Hajj is a sacred undertaking that takes participants to Mecca in order to perform clearly defined rites and rituals at the appointed time. It demands physical and mental strength as well as the sacrifice of time and money.

En Route to Mecca: Pilgrims' Voices Throughout the Centuries provides an overview of the journey as well as the destination, weaving in all the elements that make Hajj so remarkable. In addition to providing a glimpse of the holy land of Mecca and its environs, the exhibition dwells on the role played by the Prophet Ibrahim and his family. The Farewell Hajj performed by the Prophet Muhammad ﷺ is also central to the story, with the same rituals still practised by Muslims today. Since that time, the faithful have unfailingly retraced the footsteps of the prophets.

Besides the act of worship, Hajj shows the beauty of Islam. This is not only in the relationship between worshippers and their Creator but also in the relationship between human beings and other creations. The pilgrimage is a school of training for Muslims to improve as people, alleviating their weaknesses and transforming their spiritual boundaries.

In the same way as Hajj itself, *En Route to Mecca* unites different individuals and institutions that share the same interest and whose dreams converge on this path. I would like to extent our gratitude to TV9, our media partner, and to Irna Yakin Travel and Tours for helping to create an exceptional exhibition. Thanks are also due to Angus Sladen, for giving his consent in sharing the Hajj memories of his great-grandmother, Lady Evelyn Cobbold. We owe a considerable debt to publishing houses in Leiden and Kuala Lumpur for their permission in reproducing invaluable pictures, and to Mohd Lotfi Lokman for the use of his more contemporary photographs.

Reflections of this journey are not only apparent in pilgrims' thoughts and actions but are also visible in works of art. Some are representations of the Masjid Al-Haram, or objects used to adorn this and other monuments; others are items of utility, such as water flasks of outstanding elegance.

The Hajj journey does not end at Mecca. It continues until the pilgrims return to their different homelands. Being the guest of Allah in His sacred house is the aspiration of every Muslim. It is a route full of sincerity, determination and continuous commitment, as well as beauty.

Syed Mohamad Albukhary

Door Panel of Kiswah, Mecca, 1964

16

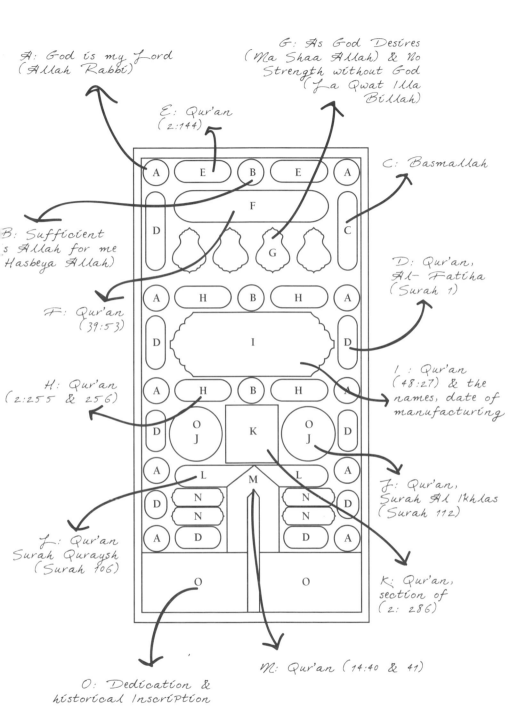

A: God is my Lord
(Allah Rabbi)

E: Qur'an
(2:144)

G: As God Desires
(Ma Shaa Allah) & No
Strength without God
(La Qwat Illa
Billah)

C: Basmallah

B: Sufficient
is Allah for me
(Hasbeya Allah)

D: Qur'an,
Al-Fatiha
(Surah 1)

F: Qur'an
(39:53)

H: Qur'an
(2:255 & 256)

I : Qur'an
(48:27) & the
names, date of
manufacturing

J: Qur'an,
Surah Al Ikhlas
(Surah 112)

L: Qur'an
Surah Quraysh
(Surah 106)

K: Qur'an,
section of
(2: 286)

O: Dedication &
historical Inscription

M: Qur'an (14:40 & 41)

17

إِنَّ أَوَّلَ بَيْتٍ وُضِعَ لِلنَّاسِ لَلَّذِي بِبَكَّةَ مُبَارَكًا وَهُدًى لِّلْعَالَمِينَ

سورة آل عمران: ٩٦

"Behold, the first Temple ever set up for mankind was indeed the one at Bakkah: rich in blessing and a (source of) guidance onto all the worlds."
(Surah Ali Imran: 96)

The Sanctuary

The Ka'bah has never been worshipped in itself. Instead, it has been the holiest site in Arabia and is central to the lives of Muslims around the world. Since the time of the Prophet Ibrahim its role has been a sanctuary. Retracing the early history of Islam, it is recorded that Ibrahim had left his wife Hajar and their infant son Ismail in the barren valley of Mecca, described in the Qur'an as, "the valley without cultivation." (Surah Ibrahim: 37)

Mecca became a centre of nourishment for travellers and pilgrims after a spring emerged in that desolate place. This had happened with Ismail crying from thirst and tapping his feet on the ground, which by God's grace had caused water to burst forth from the ground. In an attempt to contain the spring that appeared in between her son's feet, Hajar repeatedly commanded 'zam zam', meaning enclosing or stop flowing. It is now known to countless pilgrims as the Well of Zamzam.

With the assistance of his son, the Prophet Ibrahim laid the foundations of the Ka'bah. Many traditions remain from that time. Today, pilgrims will find his footprints on the stone that is known as 'Maqam Ibrahim' (the Station of Ibrahim). As the Qur'an mentions, 'take then, the place whereon Ibrahim once stood as your place of prayer. And thus did We command Ibrahim and Ismail: "Purify My Temple for those who will walk around it, and those who will abide near it in meditation, and those who will bow down and prostrate themselves (in prayer)".' (Surah Al-Baqarah: 125). In addition, adjacent to one of the Ka'bah walls stood a structure known as Hijr Ismail. This was where Hajar and her son Ismail placed their tent after being left in this sacred land. Being part of the Ka'bah, the ritual of *tawaf* (circumambulation) includes this semi-circular building.

A print illustrating the holy sites of Mecca. Singapore. No date

Owing to periodic floods and fires, the Ka'bah has been through several reconstructions. The most significant work was during the time of the Quraysh, when the shape became a cube as is seen today. Upon completion of work on the Ka'bah, there was a dispute between the leaders of the different tribes over who should place the Hajar Al-Aswad (the Black Stone) back in its original location. To resolve the issue, one of the tribal leaders suggested letting the decision be made by the first person who entered the mosque on the following day. This turned out to be the Prophet Muhammad ﷺ, whose solution to the problem was to put the Hajar Al-Aswad on a large cloth. Each of the leaders held an edge, and together they returned the stone to its original position. This has since marked the starting point of *tawaf*.

Reflecting the sanctity of the Ka'bah, it has long been a tradition to cover the structure appropriately. It is reported that during the time of the Prophet Muhammad ﷺ the Ka'bah was covered with brocade, Yemeni cloth and a white

The Kiswah of the Ka'bah, made from jacquard woven silk adorned with inscriptions in black on a black ground. Dated 1991 AD / 1412 AH

Egyptian cloth known as *qibati*. In the period of the Umayyad dynasty (662-750 AD / 41-132 AH), the Ka'bah cover was changed twice every year, once with brocade during the 9th of Zulhijjah and the other with *qibati* for celebrating Eid Al-Fitr. Transporting the Kiswah to Mecca from Egypt was always a celebration. For centuries, a huge annual parade consisting of the Mahmal and military escorts carrying the Kiswah would precede the Hajj season. The tradition of draping the Ka'bah has continued until today. The most significant change was when King Abdul Aziz Al-Saud established an institution that was responsible for producing the Kiswah in Saudi Arabia during the 1920s. Since 1977, every Kiswah has been made in Mecca. Although the factory is fully equipped with the most modern machinery, the embroidery work is still done by hand.

God has provided peace and security in this holy land. As the Qur'an states: "Let them, therefore, worship the Sustainer of this Temple; who has given them food against hunger, and made them safe from danger". (Surah Quraysh: 3-4). In addition to fellow pilgrims, trees and plants being protected, so are animals, which it is forbidden to engage in hunting.

From the very beginning, members of the Quraysh divided the responsibilities for Hajj affairs among the tribe's different families. Prominent examples include the Bani Abd Al-Mutallib, who were given the privilege of providing food and drinks for pilgrims, and the Bani Shaiban, who still hold the key to the Ka'bah.

The focus of Mecca was not solely as a place of worship. Visitors from near and far came for another reason: trade. They travelled to this arid land, bringing with them goods and merchandise, transforming a desert into a fertile centre of commercial activity.

The Fifth Pillar

In Islam, the Hajj pilgrimage to Mecca was decreed on every Muslim adult, male and female "who can afford the journey" (Surah Ali Imran: 97). In addition to having the financial means to undertake the journey, the health of pilgrims is a vital concern, as is preventing hardships for their dependants.

The five pillars of Islam describe the obligations of every Muslim towards his Creator and to his fellow Muslims. Hajj, the fifth pillar, combines a Muslim's duty towards God and humanity. Acknowledging the Oneness of God with sincerity is essential to carrying out the pilgrimage rituals. At the same time, the Hajj offers a strong sense of kinship and sharing among Muslims as an 'Ummah'.

Each year, around two to three million pilgrims camp at Mecca during Zulhijjah, the 12th month of the Islamic calendar. As well as being performed within the area of the Masjid Al-Haram in Mecca, this journey of a lifetime continues to a number of other locations, including Arafah, Muzdalifah and Mina.

The Farewell Hajj

During the 'era of ignorance' (Jahiliyyah) before the widespread acceptance of Islam, the Ka'bah changed its role. The Quraysh converged at the Ka'bah with numerous idols and performed rites and rituals which were quite unlike those introduced by

Pilgrims heading to Arafah

the Prophet Ibrahim. Pagan poetry was hung on the walls of the Ka'bah. During the Conquest of Mecca in 630 AD / 8 AH, the Prophet Muhammad ﷺ destroyed all 360 of the idols that were placed at the Ka'bah. The purpose and integrity of the House of God were restored in a great victory for the Muslims.

In the 10th year after the migration to Medina in 622 AD / 1 AH, the Prophet Muhammad's ﷺ mission had almost come to an end. Up to that point he had not yet performed the ultimate obligation upon all Muslims, the Hajj. On hearing the announcement of the Prophet's intention to march on a blessed journey to Mecca, Muslims from a wide area of the Arabian Peninsula congregated in Medina. The crowds were massive and tents were erected to welcome their Muslim brothers.

Together with the Prophet Muhammad ﷺ they prepared themselves for this journey. In the afternoon of the 25th of Zulkaedah, the roads of Medina filled with thousands of Muslims who were setting forth for Mecca. Either on foot or mounted on the back of horses and camels, from every plain and desert they came with the same intention. As they rode, the *talbiyah* chant filled the air: "Here I am, O Allah, here I am. Here I am, You have no partner, here I am. Verily the praise and blessing are Yours, and all sovereignty, You have no partner."

A few days later, on the 4th of Zulhijjah, the Prophet and the other pilgrims reached the Masjid Al-Haram. All were in their state of consecration (*ihram*). Led by the Prophet, they performed *tawaf*, circumambulating the Ka'bah seven times. Then they strode to and from Mounts Safa and Marwah.

The pilgrims stayed for a few days before they departed to Mina. After spending a night there, their journey continued to Arafah. Mounted on his she-camel, Al-Qaswa, the Prophet Muhammad ﷺ went down to the Valley of Uranah. Surrounded by other pilgrims, he delivered his sermon. In simple words he laid the foundation and guidance for Muslims in their daily life. Among the issues he covered were those relating to ownership, commercial transactions, relationships between husbands and wives, and between all the different components of humanity. As he completed his speech, a verse of the Qur'an on the perfection of the religion descended upon him. "Today have I perfected your religious law for you, and have bestowed upon you the full measure of My blessings, and willed that self-surrender unto Me shall be your religion." (Surah Al-Ma'idah: 3)

The journey continued, with the pilgrims camping next at Muzdalifah, where they picked up pebbles and threw them at the Jamarat pillars, symbolising stoning the devil. After this they continued to Mecca for the sacrifices that are now known as Eid Al-Adha. Next, they returned to Mina. Before leaving for Medina, they once again performed tawaf around the Ka'bah.

All of these rituals were to commemorate the actions of the Prophet Ibrahim. They marked the same rites of Hajj that are still practised by Muslims today. This event, known as Hajjatul Wada' (the Farewell Hajj), took place in the year that the Prophet Muhammad ﷺ was called by his Creator.

يَا أَيُّهَا النَّاسُ إِنَّا خَلَقْنَاكُم مِّن ذَكَرٍ وَأُنثَى
وَجَعَلْنَاكُمْ شُعُوبًا وَقَبَائِلَ لِتَعَارَفُوا

سورة الحجرات:١٣

"O men! Behold, We have created you all out of a male and a female,
and have made you into nations and tribes, so that you might come
to know one another..."
(Surah Al-Hujurat: 13)

A Spiritual Bond

Why is Hajj so significant to Muslims? Unlike other journeys, this is a spiritual expedition with the sole intention of worshipping Allah in His house. Pilgrims sacrifice their time, money, comfort and worldly pleasures as they seek to surrender to Allah and seek His mercy. The sense of obligation ordained upon Muslims has given them the strength to endure hardships and to be parted from their families. In retracing the footsteps of the prophets, Hajj provides an unforgettable lesson about piety and virtue.

Hajj is more than just the sum of its rituals. It is a transformation of the pilgrim into a better person. In common with the other four pillars of Islam, Hajj creates a strong spiritual bond between mankind and its Creator. As guests of Allah at His Sacred House (Baitullah Al-Haram) all pilgrims should strive to understand deeply the meaning behind each ritual. The essence of the sweetness of faith is sought after by every pilgrim.

The journey starts long before the pilgrims head for the Holy City of Mecca. As this undertaking is considered to be a testament of the physical, mental and spiritual determination of each believer, it requires considerable preparation. Mecca and its environs are stations of renewal for the faith of believers. Pilgrims learn lessons at every stop and hope to leave the city of Mecca with all their sins wiped out and their heart's purified. In many hadith, the Prophet Muhammad ﷺ said: "Whoever performs Hajj and does not commit any obscenity (*rafath*) or commit any evil will go back (free of) sin as on the day his mother bore him."

Mecca is not, however, the ultimate destination. The journey continues until the pilgrims are back in the arms of their family. This is the time for them to put into practice the lessons they have learned from their Hajj. It is a training to be a better Muslim, with pure hearts and chaste manners. Stories of their experiences are not only to be told but also demonstrated in their daily lives. By merely imitating the actions that were set by the Prophet Muhammad 🕌 without synchronisation of thoughts and feelings, a pilgrim might return to his homeland with an empty mind and soul.

As the largest annual convention of faith, Hajj unites those believers who come to the Baitullah Al-Haram from every corner of the earth. It is a manifestation of brotherhood, equality and unity. Hajj celebrates unity in faith from the diversity of culture, race and nationality. Beyond the act of worship, Hajj encourages pilgrims to exchange cultural norms, hospitality and ideas, opening minds at the same time. Pilgrims from all corners of the world assemble at one location with a single intention. A strong sense of brotherhood develops during this great meeting. Members of the Muslim community realise that they were never strangers, despite the differences that they possess. Lending a helping hand and showing tolerance of different customs are common.

All males, regardless of status and colour, wear the same seamless white garments in the state of ihram. Their female counterparts are attired in garments that reveal only the face and hands, the same clothing they wear for prayers. These clothes are a manifestation of the renunciation of worldly concerns while striving for greater spiritual awareness. They proclaim simplicity and unity at this great congregational event, with pilgrims about to enter their new abode in total surrender to Allah.

The removal of headgear is compulsory upon all male pilgrims as these items usually act as symbols of social status. All should appear equal in the eyes of Allah. There must be no distinction between one believer and another: "Verily the noblest of you in the sight of God is the one who is deeply conscious of Him." (Surah Al-Hujurat: 13)

Pilgrims who speak different languages chant the same talbiyah, responding to the call of their Lord. Whatever time zone they may live in, Muslims come to the House

of Allah obeying His command within the period of time that has been fixed for them. While performing the tawaf, they move in the same direction. They stand shoulder to shoulder in lines while performing the daily prayer. Rich or poor, black or white, they follow one imam, the leader of prayer.

Road to Unity

The road to Mecca is open for both commerce and faith. Before Islam, it was an important centre of trade as well as serving as a shrine. From the time of the Farewell Hajj, led by the Prophet Muhammad ﷺ, Muslims have flocked to Mecca, following in his footsteps. As Islam spread to a wider geographical area, the number of Muslims who made their way to this holy land increased each year, especially during the month of Hajj.

In earlier days, travel to Mecca was full of adventure. A journey that was already arduous had the added element of danger. The path was exposed to the hazards of bandits, bad weather, disease and political upheaval. Many pilgrims perished along the way; others lost their bearings entirely. None of this discouraged Muslims from observing the duty of Hajj.

The means of transport used to be quite different, although whatever route they took, pilgrims had to enter Mecca through one of several Hajj routes. The most important were those which led from Cairo, Baghdad and Istanbul. Until the 19th century, camel caravans were essential. They were packed with enough provisions to sustain them during their journey. Security was another consideration. The poor often travelled individually, making stops to earn some money as they ran out of supplies. Their journey could take many years.

The River Nile

Caravan to Mecca, printed in Paris, 1791

Realising the importance of Hajj as a social phenomenon, rulers and wealthy patrons helped to ease the pilgrims' journey. A system of caravanserais providing water and security was one of their contributions. Wells, dams and bridges were built along the way to facilitate the progress of travellers. With the opening of the Suez Canal, the Hijaz Railway and Jeddah airport, the transport system gradually improved. The experience of travelling to Mecca has changed beyond recognition in the 21st century and the risks are almost negligible. At the same time, the spiritual rewards are as great as they have ever been.

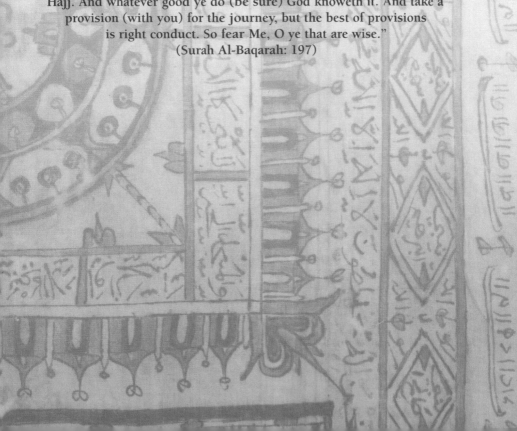

الْحَجُّ أَشْهُرٌ مَّعْلُومَاتٌ فَمَن فَرَضَ فِيهِنَّ الْحَجَّ فَلاَ رَفَثَ
وَلاَ فُسُوقَ وَلاَ جِدَالَ فِي الْحَجِّ وَمَا تَفْعَلُواْ مِنْ خَيْرٍ
يَعْلَمْهُ اللَّهُ وَتَزَوَّدُواْ فَإِنَّ خَيْرَ الزَّادِ التَّقْوَى وَاتَّقُونِ يَا
أُولِي الأَلْبَابِ

سورة البقرة:١٩٧

"For Hajj are the months well known. If anyone undertakes that duty
therein, let there be no obscenity, nor wickedness, nor wrangling on the
Hajj. And whatever good ye do (be sure) God knoweth it. And take a
provision (with you) for the journey, but the best of provisions
is right conduct. So fear Me, O ye that are wise."
(Surah Al-Baqarah: 197)

Sense of Purpose

Despite being a less rigorous experience than it was in the past, Hajj is undertaken with the utmost conviction. Since the earliest days, communities have participated in this by offering prayers that seek the safe return of those on 'Hajj Mabrur' (a Hajj graced with Divine acceptance and pleasure).

The impact of this incomparable journey on the pilgrims begins as early as the preparation stage. Their whole disposition changes as the focus turns to gaining the approval of Allah. In order to achieve this goal, pilgrims have to rectify their relations with Allah and fellow Muslims. It is essential to repent for all sins, whatever the intention. At the same time, forgiveness is sought from family, relatives and friends for any misbehaviour.

Hajj cannot be undertaken in pursuit of material reward. The aim is Hajj itself, and the reward is Jannah Al-Firdaus (Paradise). As recorded by Al-Bukhari, the Prophet Muhammad ﷺ said, "The performance of Umrah is expiation for the sins committed between it and the previous ones. And the reward for Hajj Mabrur is nothing but Paradise."

As with other types of accomplishment, Hajj Mabrur requires from the pilgrim continuous effort and prayer. For do'a (prayer) is the weapon of the believer, as mentioned in the Qur'an, "But your Sustainer says: 'Call unto Me, (and) I shall respond to you'!" (Surah Al-Ghafir: 60)

Among the signs bestowed upon a pilgrim who has been granted Hajj Mabrur by Allah is becoming a new person. As mentioned in the previous chapter, Hajj plays a role in transforming the spiritual boundaries. Its appreciation leads to the betterment of the pilgrim's mind and soul. Pondering its rites from different dimensions, Hajj alleviates weaknesses and drives the pilgrim to improve as a Muslim. The fulfilment of inner peace is manifested outwardly. Refraining from committing sins is also a sign that an individual's Hajj has been accepted by Allah.

Remembrance of Allah, combined with total submission and obedience to Him, does not end with the completion of Hajj rituals. After returning home, pilgrims have to maintain these observances in the same manner, constantly devoting themselves to Allah and being committed to the Sunnah of the Prophet. They must also remain part of their community. Even before the time of the Prophet Muhammad ﷺ , the title 'Hajji' was an honour given to male pilgrims, whilst Hajjah was the female equivalent. The expectations of those around them were high. Hajj pilgrims are required to set an example for others who are still waiting for their call. The Hajji and Hajjah find themselves frequently receiving guests who are yearning for the same experience. Hearing from those who have returned successfully adds to the resolve of aspiring pilgrims who yearn for contentment in the holy land of Mecca.

Hajj is unquestionably a migration. In fulfilling their potential as Muslims, pilgrims perpetuate the missions of all prophets, using inner struggle (jihad al-nafs) to dispossess the ego. The greatest challenge, however, is what comes next. When pilgrims return to their everyday lives, will they uphold the same standards that they observed during their Hajj? Will those around them be shown sincerity, compassion, humanity, respect, integrity and forgiveness? The answer differs with every individual and their level of personal contemplation as well as the lessons learnt on this journey.

Misconceptions
Although Hajj encourages sincerity in making sacrifices for the sake of Allah, it is not uncommon for Muslims to misunderstand the meaning and purpose behind the journey. At one extreme are pilgrims who relinquish everything that they own, selling their worldly property to fund the journey to Mecca. Such an interpretation

can do irreparable harm to themselves and their dependants. For this reason, Hajj is only an obligation for those who are truly able to undertake the journey and to leave their family behind in an acceptable state.

Given that Hajj can remove a pilgrims sins, it is important for Muslims to really understand the concept. Hajj is not an act of worship to replace any deficiencies in a pilgrim's other obligations. Observance of all five pillars is required to build a strong structure and to complete a Muslim's duties.

The intention among many Muslims is to wait until old age before carrying out the obligation of Hajj. This can be dangerous. In fact, performing Hajj during younger years has an advantage, as the rituals demand physical and mental strength. Furthermore, the Prophet Muhammad ﷺ encouraged those who have enough provisions to perform Hajj as soon as possible, since they may be unable to do so later.

While away from their daily routine, pilgrims should not seek luxurious accommodation, transportation or food. The Hajj undertaking is not a holiday. The best provision that pilgrims should take with them is *taqwa* (piety). The hardships that pilgrims encounter during their journey are part of the great lesson that is to be pondered.

Reflections on Art

Images of the Masjid Al-Haram, especially the Ka'bah, can be found in countless creative media. Embroidered on textiles, painted on canvas or woven into an exquisite carpet, the Ka'bah has been highlighted extensively. Runners painted with an image of the Ka'bah have also been used as coffin covers. These depictions can be souvenirs of Hajj or a reminder that one day the beholder should be setting foot in the sacred land.

In a quite different medium, the Masjid Al-Haram is often found illuminating pages of the most celebrated manual of blessings and prayer upon the Prophet Muhammad ﷺ . The Dala'il Al-Khayrat is among the works of the famous Sufi Imam Al-Jazuli and depicts the Masjid Al-Nabawi in Medina as well as the Masjid Al-Haram in Mecca. On a larger scale are murals painted on the exterior walls of

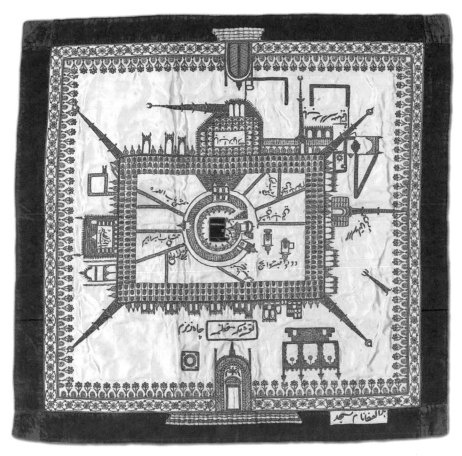

Embroidered Plan of Mecca showing the Ka'bah at the centre

buildings, especially private houses in North Africa. These show, above all, an expression of longing for the House of Allah. Inspired by the stories found in the Qur'an, as well as the experiences of those who have undergone the Hajj journey, these paintings serve the same purpose as travel accounts.

Dalail Al-Khairat Wa Shawariq Al-Anwar,
Ottoman Turkey 16th-17th century AD / 10th-11th
century AH

Cotton cover embroidered with calligraphy
and images of minarets, domes and the Ka'bah

44

In the hope that their experiences will benefit others, it is common to find that pilgrims put in writing an assortment of feelings, views and thoughts on every incident of their journey. Sometimes these can acquire a unique style of their own, such as a 19th century account by an unknown pilgrim, composed in rhythmic poetry.

The pen is held and dipped in ink

The mouth recites and the hand inscribes

One night, the humble servant contemplates

Reflecting upon his fate

The small pen takes the ink

The poem is written as a lesson

Dear friends lend me your ears

I, the humble servant, have written verses about Mecca and Medina

I am stating simple facts

So as to excite the pious

About three-and-a-half months from Kedah

My ship sails across the seas

If the wind blows from behind

I will reach Jeddah, the peaceful bay

Upon my arrival in Jeddah, my travels are delayed

This is where I shall go ashore

A Sheikh in Jeddah awaits and recollect

Where we shall come and get you

Dear friend, if there are pilgrims from Aceh

Have them return to Sheikh Muhammad Saleh

The pious and exalted

He is well versed and eloquent

Of others you have met

Bukasar, Melaka ,Kelantan and Patani

In Rawah, Bangkahulu, Bentan and Betawi

Their Sheikhs have also received revelation

You have stayed in Jeddah for two nights

Now you will walk to Mecca

Rent a camel that is convenient for you

It is smaller than an elephant

HAJJ ROUTE

- ca...
in te...

1. MIKAT
- make intention

2. MASJID AL-HARAM
- pilgrims circumambulating
the Ka'bah during tawaf

3. &

7.

- walking back and forth between Safa and Marw...
for seven times to complete a Saie

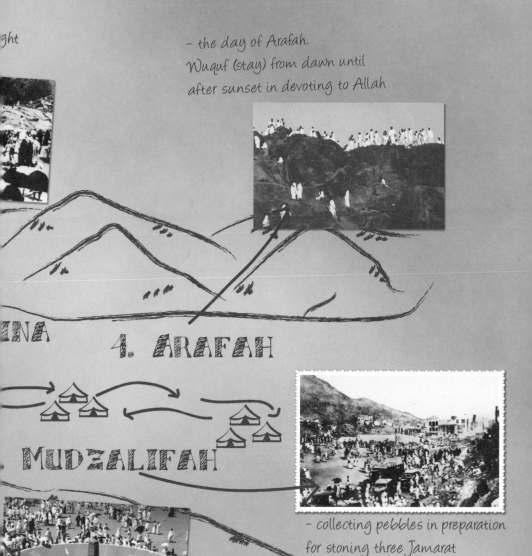

ght

- the day of Arafah.
Wuquf (stay) from dawn until
after sunset in devoting to Allah

4. ARAFAH

MUDZALIFAH

INA

- collecting pebbles in preparation
for stoning three Jamarat

- stoning Jamarat with seven pebbles

Rites and Rituals

Umrah

Umrah is a lesser Hajj. It has fewer rites and can be done at any time of the year. The five rites are performed only in the Masjid Al-Haram.

Niyyah (intention)
- Entering the state of Ihram and declaring the intention to perform Umrah at certain places (miqat) outside the Haram precincts
- Stepping into the Masjid Al-Haram while reciting the talbiyah and supplicating to Allah
- At the first sight of the Ka'bah, it is recommended to proclaim Allahu Akbar and the Shahadah as well as bestowing praise upon the Prophet Muhammad ﷺ

Tawaf
- Circumambulation of the Ka'bah seven times, starting with the Hajar Al-Aswad (Black Stone) corner. Touching the Hajar Al-Aswad, or just pointing towards it, marks the starting of Tawaf
- Wudu' (ablution) is essential for Tawaf
- The Pilgrim's left shoulder should face the Ka'bah, making the movement anti-clockwise
- Male Pilgrims should bare their right shoulder only during tawaf, an act known as Ittiba'
- After finishing the seventh circle, the two rakaat nafl prayers are offered behind the Maqam Ibrahim (Station of Ibrahim)

Saie

- Striding between two hills of Safa and Marwah seven times
- Starting with Safa, the Pilgrims are encouraged to climb up the hill until they can see the Ka'bah. After this they offer the do'a and recite dhikr
- The seventh trip ends at Marwah

Tahallul by halq or taqsir

- Shaving and cutting hair should be done right after Saei.
- Shaving the whole head is preferable for men but forbidden for women.
- Cutting a minimum of three strands of hair is sufficient for women
- By doing this, the restrictions of Ihram are lifted from the Pilgrims

Tartib (in sequence)

- Umrah is complete only if the rites are performed in sequence

Hajj

As with the other four pillars of Islam, Hajj is an obligation that should be performed in specific ways. There are three forms: Hajj Ifrad, Hajj Qiran and Hajj Tamattu'. The most highly regarded of these is Hajj Tamattu', as performed by the Prophet Muhammad ﷺ. The rites are performed not solely in the Masjid Al-Haram but also in its vicinity: Mina, Muzdalifah and Arafah. The first two locations are inside the Haram precincts whilst the latter is outside. The time for entering the state of Ihram and declaring the intention of performing Hajj depends on the type of Hajj that is to be performed. Listed below are the simplified steps.

Day 1
8th Zulhijjah

- Preparation for the Hajj ritual begins
- In readiness for Ihram, Pilgrims are encouraged to comb their hair, cut their nails and trim their beard and moustache
- Ablutions as Preparation for Ihram
- Wearing two seamless white garments for men and ordinary cloth in Prayer for women. Men are not allowed to cover their head for the duration of Ihram
- Performing two rakaat nafl Prayers for Ihram
- Saying the Niyyah (intention) for Hajj
- Uttering the words of talbiyah
- From this Point of time, the Prohibitions of Ihram start
- After sunrise, Pilgrims Proceed towards Mina
- At Mina, Zuhr, Asar, Maghrib and Isya' Prayers are Performed. Camping overnight

Day 2
9th Zulhijjah

- Fajar Prayer. Proceed to Arafah for Wuquf, which starts with the lowering of the sun and continues before the sunrise of the next day

- It is best to spend the time within this duration engaged in do'a, Qur'anic recitation and other type of ibadah
- Zuhr and Asar Prayers at Namirah mosque. It is recommended to combine and shorten both Prayers. Listening to the sermon of Arafah
- After sunset, the next destination is Muzdalifah, where Maghrib and Isya' Prayers are offered
- Collecting 49 pebbles if the intention is to engage in the stoning of the Jamarat for three days or 70 pebbles if it is for four days
- Camping overnight
- Return to Mina after Subh. Prayer

Day 3
10th Zulhijjah
- Stoning Jamarat Al-Aqabah in Mina with seven pebbles
- Sacrificing animals; either the Pilgrims do this themselves or ask others to perform this duty on their behalf. Designated days for sacrifice are prolonged up to the 13th Zulhijjah
- Tahallul - by shaving or cutting the hair. Women are not permitted to shave the entire head; to cut three strands of hair is sufficient. With that, the Prohibitions of Ihram are lifted
- Stoning, sacrificing and shaving or cutting the hair should be done in sequence, otherwise dam (atonement) is required as a penalty
- Back to Masjid Al-Haram to perform Tawaf Al-Ziarah and Saei
- Return to Mina. Camping overnight
- Muslims around the world celebrate Eid Al-Adha on this day

Day 4
11th Zulhijjah

- Throwing pebbles at Jamarat Al-Ula, Al-Wusta and Al-Aqabah
- For those who cannot make the Tawaf Al-Ziarah on the 10th Zulhijjah, it is advisable to do so on this day and return to Mina to camp overnight

Day 5 & 6
12th and 13th Zulhijjah

- Stoning the three Jamarat with seven pebbles
- The last opportunity for Tawaf Al-Ziarah
- There is an option for the Pilgrims to leave for Mecca, unless the time of departure is after sunset, in which case they have to remain in Mina for a third night and resume with the stoning of Jamarat in the same order
- Whenever the Pilgrims intend to return home or visit other Places, such as Medina, there is an obligation to Perform Tawaf Al-Wada' (Farewell Tawaf)

Visiting the Masjid Al-Nabawi in Medina is not part of Hajj or Umrah rites. However, it is strongly recommended. As reported by Al-Baihaqi, the Prophet Muhammad ﷺ said: "The person who performs Hajj and then visits my tomb, will be regarded as though he had seen me in my worldly life."

وَأَذِّن فِي النَّاسِ بِالْحَجِّ يَأْتُوكَ رِجَالًا وَعَلَىٰ كُلِّ ضَامِرٍ يَأْتِينَ مِن كُلِّ فَجٍّ عَمِيقٍ

سورة الحج: ٢٧

"Hence, (O Muhammad,) proclaim thou unto all people the (duty of) pilgrimage: they will come unto thee on foot and on every (kind of) fast mount, coming from every far-away point (on earth)"
(Surah Al-Hajj: 27)

A Sacred Invitation

The Hajj pilgrimage is a Pillar of Islam. This obligation upon every able-bodied Muslim is universal, reaching across the entire globe. The command is the same for the entire diversity of Islam, with its ever-widening range of ethnicity, nationality and position in society. It is the greatest gathering on earth, and at the same time an assembly of individuals. Regardless of a pilgrim's origins, the call to Mecca is a sacred invitation to the House of Allah.

Caliph Harun Al-Rashid
Abbasid Dynasty
763-809 AD / 146-193 AH

Biography

The Abbasid Caliph Harun Al-Rashid was born at Rayy, Iran in 763 AD / 146 AH. He was the son of Caliph Al-Mahdi and Khayzuran, originally a slave girl from Yemen, who was later freed. She played a significant role during the reigns of her husband and her son. Harun Al-Rashid was raised at court under the supervision of a personal tutor, Yahya Ibn Khalid Barmakids. The Barmakids were a noble Persian family that provided strong support for the Abbasid dynasty. Harun Al-Rashid ascended the throne in 786 AD / 169 AH, after the death of Caliph Al-Hadi.

Road to Mecca

While the Barmakids took care of administrative matters, Harun Al-Rashid found an opportunity to go for the Hajj pilgrimage during the summer after his accession to power. He had previously been with his father in 777 AD / 160 AH, and after becoming caliph he revisited Mecca another eight times. Among the pilgrimages that have been reported in history were in the year 802 AD / 185 AH, with his two sons Al-Amin and Al-Ma'mun, and another with his wife Zubayda in 805 AD / 189 AH.

Charity

Harun Al-Rashid spent a huge proportion of his wealth on the poor of the Holy Cities, a tradition that had been practised earlier by his father. One example of Caliph Harun's munificence was during his pilgrimage of 802 AD / 185 AH, when one and a half million gold dinars were distributed to the residents of Mecca and Medina. Harun's wife Zubayda displayed no less generosity. She performed Hajj five or six times, and was renowned for her compassion towards the welfare of pilgrims. During her pilgrimage in 805 AD / 189 AH, she and Harun witnessed the effects of drought and contributed to increasing the depth of the Zamzam well.

Abbasid gold dinar minted in 781 AD / 165 AH during the reign of Caliph Al-Mahdi

Naser Khosraw
Iran
Hajj 1046 AD / 437 AH

Biography

Naser Khosraw, a Persian poet, Isma'ili philosopher and traveller, was born in Qubadiyan, Iran in the year 1004 AD / 394 AH. From a family of officials and landowners, Naser Khosraw – Abu Mu'in Nasir ibn Khusraw ibn Harith Al-Qubadiyani – is well known for his travel accounts entitled Safarnama (Books of Travels). His experiences span seven years, from 1046 AD / 437 AH to 1052 AD / 443 AH, providing comprehensive accounts of many cities of the Islamic world during the 11th century. Safarnama marked a spiritual transformation for Naser Khosraw. At the age of 42, he decided to leave a courtly life and headed to Cairo, a city that offered him the opportunity and protection to become an Isma'ili scholar. On the way to Cairo, he visited Mecca to perform his first Hajj pilgrimage.

View of Cairo in the 20th century AD / 14th century AH

Route

Naser Khosraw visited Mecca four times. His first pilgrimage occurred between the years 1046-1047 AD / 437-438 AH. With his brother and a servant, he joined the annual caravan that wove its way through Nishapur, Tabriz, Aleppo, Jerusalem and on to Mecca. After performing the Hajj pilgrimage, he reached Cairo in 1047 AD / 438 AH and decided to stay there for three years. He went on three more pilgrimages while staying in Cairo during the reign of the Fatimid Sultan Al-Mustansir (1036-1094 AD / 427-486 AH).

Umrah Through the Eyes of Naser Khosraw

On his last pilgrimage, in 1050, Naser Khosraw recounts the ritual of minor pilgrimage or Umrah as practised during that period. Although the setting of the Masjid Al-Haram will seem very different to the modern visitor, his accounts show that Islamic rituals have not changed since Prophetic times:

"For people who have come from faraway places to perform the Minor Pilgrimage, there are milestones and mosques set up half a prasang away from Mecca, where they bind their ihram. To bind the ihram means to take off all sewn garments and to wrap a seamless garment about the waist and another about the body. Then, in loud voice, you say "Labayk Allahumma, labayk," and approach Mecca. When anyone already inside Mecca wants to perform the Minor Pilgrimage, he goes out to one of the markets, binds his ihram, says the Labayk, and comes back into Mecca with an intention to perform the Minor Pilgrimage. Having come into the city you enter the Haram Mosque, approach the Ka'ba to your left (shoulder). Then you go to the corner containing the Black Stone, kiss it, and pass on. When the stone is kissed once again in the same manner, one tawaf, or circumambulation, has been completed. This continue for seven tawafs, three times quickly and four slowly. When the circumambulation is finished, you go to the Station of Abraham opposite the Ka'ba and stand behind the Station. There you perform two rakats called the Circumambulation Prayer. Afterwards you go the Well of Zamzam, drink some water or rub some on the face, and leave the Haram Mosque by the Safa Gate. Just outside this gate are the steps up Mount Safa and go from south to north through the bazaar to Marwa. Passing through the bazaar, you go past the gates to the Haram Mosque, where the Prophet ran and commanded others to run also. The length is about fifty paces, and on either side are two minarets. When the people coming from Safa reach the first two minarets, they break into a run until they pass the other two at the other end of the bazaar. Then they proceed slowly to Marwa. Upon reaching the end they go up Marwa and recite the prescribed prayer. Then they return through the bazaar and repeat the run until they have gone four times from Safa to Marwa and three times from Marwa to Safa, making seven runs the length of the bazaar. Coming down from Marwa the last time, you find a bazaar with about twenty barber-shops facing each other. You have your head shaved and, with the Minor Pilgrimage completed, come out of the Sanctuary."

After his last pilgrimage, Naser Khosraw proceeded to Balkh. He reached there in 1052 AD / 443 AH, marking the end of his travels. The rest of his life was dedicated to writing and preaching. The exact date of his death is unknown, but was probably between 1072-1078 AD / 464-470 AH.

Ibn Jubayr
Granada, Spain
Hajj 1183-1184 AD / 578-579 AH

Biography
Ibn Jubayr, or Abu Al-Husayn Ibn Jubayr, was born in Granada, Spain in 1145 AD / 539 AH. He served as a courtier to a Muslim governor in Granada in addition to being a scholar and a poet. His reputation was built with the travel account entitled 'The Travels of Ibn Jubayr', which first appeared in 1189 AD / 584 AH. His style of writing about his journeys to Jerusalem, Medina, Mecca, Damascus, Mosul, Acre and Baghdad set a trend for the rihla genre that appears after him. With an honest tone based on frank thoughts, he recorded his pilgrimage to Mecca which he performed in 1183-1184 AD / 578-579 AH.

Produced at the same factory as the Kiswah for the Ka'bah, this cloth is decorated with inscriptions that include part of the Qur'anic verse that states 'Surely the first Sanctuary appointed for humanity was that at Bekkah (Makkah)'. (Surah Ali Imran: 96)

Route

The journey to Mecca was not easy for Ibn Jubayr. Crusaders and tribal raiders were among the constant threats. He set out from Granada in early February 1183 AD / 578 AH, accompanied by a physician. From the city of Ceuta, in North Africa, he embarked on a Genoese ship travelling to Cairo. Although Salah Al-Din Al-Ayubi held power in Cairo, full protection did not extend far from his capital. As the soldiers of the legendary crusader Reynald de Chatillon were specially trained in raiding Hajj caravans, Ibn Jubayr took a route to Mecca that headed south by camel train to reach Aydhab on the Red Sea. This port, in modern Sudan, played a major role in the Hajj and trade activities at the time. After crossing the Red Sea to the port of Jeddah, he settled all the necessary taxes and arrived at Mecca.

Mecca: Features of The Ka'bah

"On Saturday, the day of sacrifice, the kiswa, or covering of the holy Ka'ba, was borne on four camels into Mecca from the camp of the Iraqi Amir. The newly appointed judge of the city walked before it, wearing black robes provided by the Caliph, led by banners and followed by rolling drums...The kiswa was placed on the roof of the Ka'ba, and on the Tuesday thirteenth the guardians were busy draping it over the building. Its beautiful ripe green color dazzled the eye. A broad red band ran around its upper section. On the side facing the Station of Abraham, the side with the door in it, there were written on the band of the words Bismillah: "Surely the first Sanctuary appointed for humanity was that at Bekkah (Mecca)." The Caliph's name was written on the other sides, along with some invocations in his favor. Running around the band were two reddish zones with small white lozenges holding finely written verses from the Quran and other references to the Caliph. When the Ka'ba was completely covered, the hem of the kiswa was tucked up to protect it from the hands of visiting pilgrims, who pull the cloth violently and throw themselves upon it with emotion. At this moment the House of God presented the most beautiful sight imaginable, like an unveiled bride in the best green silk brocade. May God let it be viewed by everyone who wants to see it..."

Image of Mansa Musa on a European map dated 1375 AD / 776 AH

Mansa Musa
Kingdom Of Mali
Hajj 1324 AD / 724 AH

Biography

The term 'Mansa' appears to be the title of a Malian ruler during medieval times, equivalent to a king. The most notable example in the history of Mali is Mansa Musa, a Muslim leader who ruled Mali from 1312-1337 AD / 711-737 AH. His popularity was based largely on his pilgrimage to Mecca in 1324 AD / 724 AH. Ibn Battutah, the ultimate traveller from Tangier, mentioned this celebrated figure in his accounts. An image depicting Mansa Musa holding a nugget of gold to suggest his wealth also appeared on European map dated 1375 AD / 776 AH.

Route

Mansa Musa and his massive entourage used the land route across the upper Niger River from his capital in Niani, Mali. Sitting on horseback, he led his company to

Djenne Mosque, Mali, built by Abu Ishaq As-Sahili in the 14th century AD / 8th century AH

Walata or Oulata, Mauritania. Then, they moved ahead to Tuat, Algeria and stayed for a while in Cairo before heading to Mecca.

His caravan had, according to reports, formed a moveable treasure of the Malian kingdom while en route to Cairo. With 500 slaves carrying packs of gold weighing approximately 30 pounds, this company made an imposing spectacle preceded by Mansa Musa who rode on horseback. Al-Umari (1300-1384 AD / 699-785 AH), an Arab historian who was in Cairo 12 years after Mansa Musa's visit, reported that Cairo was so nourished with gold that its value fell and did not recover until decades later. In Cairo, most of the gold was distributed among the city's poor by Mansa Musa.

Mecca: Centre of Learning

Mansa Musa was the supreme patron of Islam in Mali. Mosques and madrasas were constructed in various locations during his reign, the most famous of which is the Djenné Mosque. This mud-brick structure – the largest in the world – is still standing and has been given numerous accolades including recognition from UNESCO. It is still standing in Mali.

These architectural accomplishments might not have happened without the meeting of Mansa Musa and Abu Ishaq Al-Sahili (1290-1346 AD / 688-746 AH) in the Holy City of Mecca. This talented scholar and poet had been drawn to the centre of Islamic learning, from his native Granada, and would later travel to Mali. Under the supervision of Mansa Musa, the Djenné Mosque was built by Abu Ishaq Al-Sahili, who settled in Mali and eventually died there. Ibn Battuta recorded his visit to the grave of Al-Sahili in Timbuktu.

Ibn Battutah
Tangier
Hajj 1326 AD / 726 AH

Biography

Ibn Battutah, or Shams Al-Din Abu 'Abdallah Ibn Battutah, is the most famous Muslim traveller of the 14th century, or of any century. This native of Tangier, North Africa was born to a family of lawyers in 1304 AD / 724 AH. His travels covered modern Tangier in the west to Beijing in the east, Granada and Ukraine in Europe, Timbuktu in Africa, Aswan on the Nile and to Kilwa on the coast of Tanzania. His travels were later written down by Ibn Juzayy, a scholar who was appointed and commissioned by the Marinid ruler Abu Inan. This *rihla* (travel book), written under the dictation of Ibn Battutah, was completed in 1357 AD / 758 AH.

Route

Based on his *Travels*, Makkah Al-Mukarramah and Madinah Al-Munawwarah were Ibn Battutah's destination. He wanted to accomplish his Hajj pilgrimage and his determination to reach there is shown in the early phase of his travel accounts:

"I left Tangier, my birthplace, on Thursday, 2nd Rajab, 725 (14th June 1325), being at that time twenty-two (lunar) year of age, with the intention of making the Pilgrimage to the Holy House (at Mecca) and the Tomb of the Prophet (at Madina). I set out alone, finding no companion to cheer the way with friendly intercourse, and no party of travelers with whom to associate myself. Swayed by an overmastering impulse within me, and a long-cherished desire to visit those glorious sanctuaries, I resolved to quit all my friends and tear myself away from my home. As my parents were still alive, it weighed grievously upon me to part from them, and both they and I were afflicted with sorrow."

Ibn Battutah set out alone along coastal land routes, using camels and horses. It was in Libya that he joined a pilgrim caravan that was heading straight to the Holy City through Egypt, Palestine and Syria. Eight months later, in 1326 AD / 726 AH, he reached Mecca.

Inside Mecca

Mecca was a special place for Ibn Battutah. It was this destination that encouraged him to extend his travels. It was a centre that he revisited and resided in many times before continuing his travels to the ends of the earth. L.P. Harvey, a Fellow of the Oxford Centre for Islamic Studies, in his book *Ibn Battuta* discovered three reasons why Makkah Al-Mukarramah meant so much to him. First, it was there that he built up a network of scholarly connections. Second, Mecca was where he was able to improve his knowledge of Persian and Turkish, essential languages of communication in the Islamic world at that time. Finally, he had experiences that matured him as a traveller. This, perhaps, contributed to the warm feelings Ibn Battutah had for the city:

"The inhabitants of Mecca are distinguished by many excellent and noble activities and qualities, by their beneficence to the humble and weak, and by their kindness to strangers. When any of them makes a feast, he begins by giving food to the religious devotees who are poor and without resources, inviting them first with kindness and delicacy. The majority of these unfortunates are to be found by the public bakehouses, and when anyone has his bread baked and takes it away to his house, they follow him and he gives each one of them some share of it, sending away none disappointed. Even if he has but a single loaf, he give away a third or a half of it, cheerfully and without any grudgingness, another good habit of theirs is with two baskets, one large and one small. When one of the townspeople comes to the bazaar and buys cereals, meat and vegetables, he hands them to one of these boys, who put the cereals in one basket and the meat and vegetables in the other and takes them to the man's house, so that his meal may be prepared. Meanwhile the man goes about his devotions and his business. There is no instance of any of the boys having ever abused their trust in this matter, and they are given a fixed fee of a few coopers. The Meccans are very elegant and clean in their dress, and most of them wear white garments, which you always see fresh and snowy. They use a great deal of perfume and kohl and make free use of toothpicks of green arak-wood. The Meccan women are extraordinarily beautiful and very pious and modest. They too make great use of perfumes to such a degree that they will spend the night hungry in order to buy perfumes with the price of their food. They visit the mosque every Thursday night, wearing their finest apparel; and the whole sanctuary is saturated with the smell of their perfume. When one of these women goes away the odour of the perfume clings to the place after she has gone."

Ibn Battutah's 20-year journey to the East covered almost the entire known world and finally brought him back to his home. He died in Morocco between 1368 AD / 769 AH and 1377 AD / 779 AH.

Admiral Zheng He
China
Hajj 1431-1433 AD / 834-836 AH

Biography

Admiral Zheng He (1371-1433 AD / 772-836 AH) represents a generation of the Chinese empire's naval supremacy. Serving under different emperors of the Ming dynasty, Zheng He was an explorer, diplomat and a fleet admiral, leading seven diplomatic voyages from 1405-1433AD / 807-836 AH. Born in Yunnan province in 1371 AD / 772 AH, Zheng He was raised in a Muslim noble family. 'Zheng He' was an honorific given by the Yongle Emperor in appreciation of his services to the imperial court. His surname, Ma, is an indication that he was a Muslim. His father, known as 'Ma Haji', provided stirring tales of his own adventures en route to Mecca. On Zheng He's seventh and last voyage (1432-1433 AD / 835-836 AH), he finally reached the Holy City.

Route

The seventh voyage of Admiral Zheng He covered a wide area, stretching from the Malay Archipelago to Mogadishu in Africa. He reached Champa on 24 December 1431 AD / 14 Rabi'ul Akhir 835 AH after sailing from Fujian province. Another 25 days brought him to Java. On 16 June 1432 AD / 17 Syawal 835 AH Zheng He left Java and moved to Palembang. From Palembang, he reached Malacca on 8 August 1432 AD / 11 Zulhijjah 835 AH. Besides Sumatra, which he visited again after Malacca, Zheng He sailed to Ceylon, the Maldives and Hormuz. Passing through Cochin, Zheng He and his armada landed in Calicut, India. Three months later, a small group of Zheng He's fleet arrived at the port of Jeddah. This company then reportedly walked to Mecca.

Seventh Voyage

Zheng He's seventh voyage was his last. Scholars and historians are divided as to whether Zheng He performed the Hajj pilgrimage. Ma Huan recorded that it was Hong Boa, Zheng He's deputy, together with another six, who took a year's trip to reach the Holy City. Another opinion suggests that while in Calicut, Zheng He met with envoys from Mecca and sent his interpreter to follow the latter company back to Arabia.

On the way back from Mecca, it has been reported that Zheng He died of illness. His ships were filled with exotic produce and rare animals, but the admiral's body never returned to his home country. Based on sea-faring tradition, he was buried at sea.

'Ambitious Young Man'

The Epitaph of Ancestor Ma, also known as *Tablet of Ma Haji*, is one of the most important artefacts that prove Zheng He's genealogical background. Constructed in Zheng He's home town in Kunyang, Yunnan, it provides information on his earlier life. Created in 1405 AD / 808 AH by the Ming dynasty's Minister of Rites, Li Zhigong, this tablet states that: "Zheng He was ambitious from young". His father, who died in 1344 AD / 745 AH at the age of 39, considered Zheng He to be intelligent and possessed of a good memory. The son was fond of classic books as well as martial arts. His level of curiosity was astonishingly mature. Zheng He frequently asked his father and his grandfather about their experiences and adventures while performing the Hajj pilgrimage. This perhaps made the allure of Mecca irresistible.

Boat men in Jeddah with their guild chief in the 19th century AD / 13th century AH

Ludovico Di Varthema
Bologna, Italy
On Mecca 1503 AD / 908 AH

Biography

Ludovico di Varthema (c. 1470-1517 AD/ 874-922 AH) was from Bologna and is believed to have travelled extensively in the first half of the 16th century. His seven-year journey to the Middle East, India, Burma, Malaya, Siam and Indonesia between the years 1502 AD / 907 AH and 1508 AD / 913 AH was recorded in his famous work, entitled the *Itinerario* (The Itinerary). His accounts of Mecca and the Hajj

Camels in the Hijaz

pilgrimage are among the earliest European records of this subject. With his status as a Muslim still in question, he cunningly managed to enroll himself with the Mamluk vanguard of the caravan that headed for the Holy City in 1503 AD / 908 AH. On the way to Mecca from Damascus, he recorded the obstacles that were encountered by Muslims pilgrims in the heart of the desert in order to fulfill this religious duty.

Road to Mecca

Varthema entered Mecca as part of a mercenary army with the purpose of ensuring the safety of Muslim pilgrims. They set out from a place he called 'Mezeribe',

Old Heidan, Damascus

probably Jubb Al-Mazarib in Syria today. His departure in the *Itinerario* as stated:

"On 11th of April, the said caravan departed from Mezeribe; there were 35,000 camels, about 40,000 persons, and we were sixty Memelukes in guard of the said caravan. One third of Memelukes went in advance of the caravan with the standard, another third in the centre, and the other third marched in the rear. You must understand that we performed our journey in this wise."

The journey itself was depicted by Varthema as long and tough. Certain procedures and rules had to be followed in order to make such a journey tolerable:

"From Damascus to Mecca is a journey of forty days and forty nights: thus, we set out from Mezeribe in the morning and travelled for twenty hours. At that point certain signals made by the captain were passed from band to band that the whole company should stop where they then found themselves, and they pass twenty-four hours in unloading, and feeding themselves and their camels. And then they make signals, and the camels are immediately laden again. And you must know that they give the said camels for food only five loaves of barley meals, uncooked, and each of about the size of a pomegranate,

STREET IN DAMASCUS

and then they mount their horses and journey all night and all the following day for the said twenty-two hours, and then for twenty-four hours do as before. And every eight days they find water, that is, by digging in the earth or sand; also, certain wells and cisterns are found, and at the end of the eight days they stop for one or two days, because the said camels carry as great a burthen as two mules, and they only give the poor animals drink once in every three days."

One of the major obstacles for Muslim pilgrims was a constant fear of attack by robbers. In Varthema's accounts, he mentioned how their company was able to overcome the nomadic pirates because of disputes relating to water resources. This predatory group is described by him:

"They inhabit the mountain and come down at the time when the caravan passes through to go to Mecca, in order to lie in wait at the passes for the purpose of robbing the said caravan. They carry their wives, children, and all their furniture, and also their houses, upon camels, which houses are like the tents of soldiers, and are of black wool and of a sad appearance."

In *Itinerario*, Varthema recorded details of Mecca. These include the Masjid Al-Haram, the ritual of pilgrimage, the people of the city and other matters. Despite the accuracy of these accounts, he created controversy with his encounter with mythical creatures such as unicorns in Mecca. The chaotic situation of peoples from different parts of the world in the midst of the Hajj season was portrayed by him, particularly in the port of Jeddah:

"There is a Port called Zida (Jeddah), which is distant from the said city (Mecca) forty miles. A great quantity of food also comes there from Arabia Felix, and also a great part comes from Ethiopia. We found a great number of Pilgrims, of whom some came from Ethiopia, some from India Major, some from India Minor, some from Persia, and some from Syria. Truly, I never saw so many people collected in one spot as during the twenty days I remained there. Of these people some had come for the purposes of trade, and some on Pilgrimage..."

Her Highness Sikandar,
The Begum Of Bhopal
India
Hajj 1864 AD / 1280 AH

Biography

Bhopal, a Muslim state in pre-independence India, was governed by four women rulers between the years 1819 AD / 1234 AH and 1926 AD / 1344 AH. Kaikhusrau Jahan Begum, the last female ruler of Bhopal, continued her female predecessor's reign, which started with her mother, Shah Jehan. The latter was the only daughter of Sikandar, who before had succeeded her mother as regent. Nawab Sikandar Begum's pilgrimage to Mecca in 1864 AD / 1280 AH is acknowledged as the first Hajj account recorded by a regent.

Route

Part of the begum's difficulties arose from individuals who tried to take advantage of her wealth. Some of her belongings were looted in the port of Jeddah, as well as during her journey by camel caravan across the desert. Sikandar Begum set sail for Mecca in late 1863 AD / 1279 AH, with her mother, Qudsia Begum, her uncle and an entourage of hundreds. She reached the port of Jeddah in January 1864 AD / 1280 AH and stayed there for a week. Then she instructed her agent, Abd Al-Rahim, to hire a camel caravan for the journey to Mecca. Sikandar Begum described performing her religious duty in Mecca:

"The hour of my arrival at Mecca was the 'isha (first watch of the night), and the call to evening prayers was sounding from the different mosques. I entered within the holy precincts by the Gate of Peace, and, arriving at he House of Abraham, I stood and read the prescribed prayers. After that, I performed the ceremonies of the Arrival Tawaf, and of running at Safa and Marwa."

Nevertheless, due to some unsafe situation on the road to Medina, she decided not to go there after consultation with her elders.

Bodyguard and Veil

Receiving considerable attention from others, Sikandar Begum felt uncomfortable about performing her duty. At one point in her accounts, she mentions how she was completely mobbed by faqirs during her *tawaf*. This problem was only resolved after her request to the Sharif of Mecca to provide four bodyguards to accompany her during *tawaf* was approved. Besides, as a precaution, she decided to wear the veil to avoid being recognised:

"We were in the habit of wearing Turkish veils when going out on the tawaf and other expeditions, and the inhabitants of Mecca enquired of my people, 'Which among those women was the Sikandar Begum of Bhopal?' Some of them were foolish enough to point me out, so to avoid a repetition of the annoyance, I issued an order to all my suite forbidding them, on pain of dismissal from my service, to cause me to be recognized, either indoors or out-of-doors, by anyone, be they inhabitant of Mecca, or strangers "

Brass Pilgrim flask, 17th century AD / 11th century AH, the Deccan, India

Muhammad Asad in 1932 AD / 1350 AH

Muhammad Asad
Galicia, Spain
Hajj 1927 AD / 1345 AH

Biography

Muhammad Asad was born on 2 July 1900 / 4 Rabi' Al Awal 1318 in Eastern Galicia. Known as Leopold Weiss before his conversion to Islam, he had a distinguished career throughout his lifetime. In 1926 AD / 1344 AH, already a famous journalist in Europe, he decided to return to Germany. In the same year, at the age of 26, he married a German painter and converted to Islam. After Elsa's conversion to Islam, which happened weeks later, both decided to fuflil their first major duty as Muslims; both headed to Mecca in order to perform their first Hajj pilgrimage.

Route

The Middle East was not unfamiliar to Muhammad Asad. His previous experiences as a foreign correspondent for the *Frankfurter Zeitung* included areas such as Iran, Egypt, Kabul, Damascus and Isfahan. Despite this, the journey to Mecca was something altogether different. A part of its difficulty was pictured by Muhammad Asad in his accounts entitled *The Road to Mecca*. Crowded with pilgrims on a ship that departed from Egypt to Jeddah, there were constant cries and shouting "*Labayk, Allahumma, Labayk*"…". Pilgrims from Egypt and North Africa were "in every available space and corner human beings were painfully herded together."

Mecca: 'Unboundaries'

Muhammad Asad was guided by his *mutawwif* to enter the Masjid Al-Haram. On their way to the mosque, he mentioned in his accounts the panorama of Mecca with its buzzing streets of bazaars. Besides, he also described in detail the different peoples and races which were scattered around the city during the pilgrimage season:

"And, again, there were people of all races and garbs and expressions, some with turbans and others bareheaded; some who walked silently with lowered heads, perhaps with a rosary in their hands, and others who were running on light feet through the crowds; supple, brown bodies of Somalis, shining like copper from between the folds of their toga-like garments; Arabs from the highlands of the interior, lean figures, narrow of face, proud of bearing; heavy-limbed, thickset Uzbegs from Bokhara, who even in this Meccan heat had kept to their quilted kaftans and knee-high leather boots; sarong-clad Javanese girls with open faces and almond-shaped eyes; Moroccans, slow of stride and dignified in their white burnuses; Meccans in white tunics, their heads covered with ridiculously small white skullcaps; Egyptian fellahin with excited faces; white-clad Indians with black eyes peering from under voluminous, snow white turbans, and Indian women so

impenetrably shrouded in their white burqas that they looked like walking tents; huge Fullata Negroes from Timbuktu or Dahomey in indigo-blue robes and red skullcaps; and petite Chinese ladies, like embroidered butterflies, tripping along on minute, bound feet that resembled the hooves of gazelles. A shouting, thronging commotion in all directions, so that you felt you were in the midst of breaking waves of which you could grasp some details but never an integrated picture. Everything floated amid a buzz of innumerable languages, hot gestures and excitement – until we found ourselves, suddenly, before one of the gates of the Haram, the Holy Mosque."

The remaining parts of Muhammad Asad's life as a Muslim are no less interesting; full of ups and down. His wife Elsa died, leaving him with a son, Ahmad, who on certain occasions accompanied him travelling in Arabia. He also used to work hand in hand with the Pakistani philosopher Muhammad Iqbal to lay the groundwork of the Pakistani nation. With his new wife, Pola Asad, whom he married in 1952 AD / 1371 AH, he wrote and published numerous works on Islam. He died in 1992 AD / 1412 AH and is buried in a Muslim cemetery in Granada, Spain.

Elsa, the wife of Muhammad Asad, with their son

Lady Evelyn Cobbold
Great Britain
Hajj 1933 AD / 1352 AH

Lady Evelyn at her Glencarron estate in northwest Scotland

Biography

Lady Evelyn Zainab Murray Cobbold (1867-1963 AD / 1283-1382 AH) was the first European women to record her personal experience of Hajj. The eldest daughter of the seventh Earl of Dunmore, she is believed to have embraced Islam during her childhood. Her pilgrimage to Mecca was permitted by King Abdul Aziz Ibn Saud, and she was hosted by Harry St John Philby, an intrepid British explorer and author, a Muslim convert who had reached Mecca in 1931 AD / 1349 AH. At the age of 66, Lady Evelyn started her journey by ship from Cairo to the Port of Jeddah, alone.

Road to Mecca

Once Lady Evelyn had reached Jeddah, she was looked after by Harry St John Philby, who enjoyed special privileges as British advisor to King Abdul Aziz Ibn Saud. As permission to enter the Holy City had not yet been received, she occupied her leisure time by travelling in the region and recording her experiences. Muslim pilgrims on their way to Mecca were among the sights that captivated her. As stated in an account dated 28 February 1933 / 3 Zulkaedah 1351, while in Jeddah:

> "We pass many pilgrims on their way to the Holy Cities, some in motors, some swaying on the camels, and the very poor on foot. The men are clothed in their ihram (or two towels) and bareheaded. The women going to

Permission for Lady Evelyn to make the Hajj
Pilgrimage was arranged by Saudi Arabia's
ambassador in London, Sheykh Hafiz Wahba. Sheykh
Hafiz stands to the left of Prince Sa'ud
Ibn Abdul Aziz

Medina are in black or colours, while those on the road to Mecca are in their Pilgrim white. Some of the Poor Pilgrims from far countries take years on their way. My host related how he was one day motoring on the Medina Road and, seeing a man, his wife, and boy trudging wearily through the hot sand, with all their worldly goods packed on their heads and backs, stopped his car to give them a lift as he was travelling a short way on their road. What was his surprise when they gratefully lifted their bundles into the car to find three small babies in them, born during the years of tramping towards their goal."

On 12 March 1933 / 15 Zulkaedah 1351, King Ibn Saud gave permission for Lady Evelyn to enter Mecca. She decided to visit Medina first, since the Hajj season would only start on 4 April. Following the trails that had been established centuries before, she stated:

"The road was marked by the whitened bones of dead camels that strewed the path of countless thousands of pilgrims who had trod that way for over a thousand years. No living thing was to be seen, except now and then some sand grouse and, once, a flight of flamingoes..."

On her journey, Lady Evelyn was accompanied by three others: Sulayman, an Arab driver; Mustafa Nazir, a courier and assistant lent by Philby; and one Sudanese. Using a 'little Ford' car, as she jotted down in her account, the journey from Jeddah to Medina took 15 hours – a distance of 250 miles. She recorded her experience of pilgrims as she travelled:

In 1933 AD / 1351 AH, Lady Evelyn became the first international traveller to record the buses that had recently begun a service to Mecca

"Ten days is the usual time it takes a camel to accomplish the journey between Medina and Jeddah, and three weeks for the Pilgrim on foot, who generally travels at night, resting in the heat of the day at one of the numerous caravansaries, where he can obtain food, water, coffee, tea, and a rush couch on which to sleep. Also we occasionally met an omnibus carrying intending Pilgrims and luggage tightly packed, cooking utensils and water jugs tied on anywhere, and the noise and clatter must have been most trying as they bumped over the rough ground...."

By the end of March 1933 / Zulkaedah 1351, she entered Mecca and was able to perform her Hajj with the correct rituals and attire: "...for Mecca I shall be entirely in white, no colour allowed in any garment"

Lady Evelyn in Jeddah

US Postage stamP, 1999

Malcolm X
United States of America
Hajj 1964 AD / 1383 AH

Biography

Malcolm X was among the most influential African-Americans in modern history. Originally named Malcolm Little, he was born in Omaha, Nebraska in 1925 AD / 1343 AH. His Muslim name became El-Hajj Malik El-Shabazz after making his Hajj pilgrimage to Mecca in 1964 AD / 1383 AH. A year later, he was assassinated while delivering a speech at the Manhattan Audubon Ballroom.

His early life was turbulent, with constant changes of foster homes. Trapped inside the underworld of Boston and New York, he was arrested for robbery and sent to Massachusetts State Prison in 1945 AD / 1364 AH. In prison, he became a member of the Nation of Islam, a movement that generated self-esteem and self-identification for black Americans and black races in general. After his release in 1952 AD / 1371, he visited Elijah Muhammad, the head of the Nation of Islam, in Chicago and the two became close friends.

Within the Nation of Islam, 'Malcolm X' played a role as a leader and spokesman for this movement. He propagated the rights of black Americans against racial discrimination, particularly by white supremacists. His natural talent as an orator brought him prominence, attracting many new members to the Nation of Islam. Due to conflicts about ideas and interests with Elijah Muhammad, he announced his departure from the Nation of Islam in 1964 AD / 1383 AH. In that same year he decided to perform his Hajj pilgrimage.

Route

As an American citizen heading for Mecca, Malcolm X was an unusual phenomenon at the time. He attracted the attention of others, but as he mentioned in his autobiography, he never felt discriminated against; rather, he received a warm welcome from his Muslim brethren throughout his pilgrimage. He was even invited to sit in the cockpit on his flight to Jeddah airport.

His inability to speak Arabic, and holding a United States passport, held him up for 20 hours in a state of Ihram at Jeddah airport. The Saudi authorities enforced strict regulations to ensure non-Muslims could not enter Mecca. Malcolm X's situation at that moment invited suspicion. Those 20 hours, as has been stated in the famous autobiography that was written with the assistance of Alex Haley, helped him to have a greater understanding of Islam. In a dormitory-like room in which he stayed temporarily with other Muslims of different nationalities, he learnt the proper way to pray and he felt the spirit of the Ummah (Muslim community).

The Hajj Committee Court finally recognised Malcolm X as a Muslim from America. He later received an invitation to be a special guest of Prince Faysal.

Ummah Trancends Race

On meeting Prince Faysal, Malcolm X was asked about his purpose for performing Hajj. He replied: "I said that my purpose for making the Hajj was to get understanding of true Islam." He believed that Islam should be beyond racial boundaries; Islam not only for black or even white, but for all. There should be no issue of oppression or being oppressed. This Muslim unity or ummah is best presented during the grand gathering of the faithful during the period of pilgrimage:

"There were tens of thousands of pilgrims, from all over the world. They were of all colors, from blue-eyed blonds to black-skinned Africans. But we were all participating in the same ritual, displaying a spirit of unity and brotherhood that my experiences in America had led me to believe never could exist between the white and nonwhite.

Pilgrims from Zanzibar, East
Africa during the 19th century AD
/ 13th century AH

"America needs to understand Islam, because this
is the one religion that erases from its society the
race problem. Throughout my travels in the Muslim
world, I have met, talked to, and even eaten with
people who in America would have been considered
'white' — but the 'white' attitude was removed from
their minds by the religion of Islam. I have never
before seen sincere and true brotherhood practiced by
all colors together, irrespective of their color.

"You may be shocked by these words coming from me. But on this Pilgrimage, what I have seen, and experienced, has forced me to rearrange much of my thought patterns previously held, and to toss aside some of my previous conclusions. This was not too difficult for me. Despite my firm convictions, I have always been a man who tries to face facts, and to accept the reality of life as new experience and new knowledge unfolds it. I have always kept an open mind, which is necessary to the flexibility that must go hand in hand with every form of intelligent search for truth.

"During the past eleven days here in the Muslim world, I have eaten from the same plate, drunk from the same glass, and slept in the same bed (or on the same rugs) – while praying to the same God – with fellow Muslims, whose eyes were the bluest, whose hair was the blondest of blond, and whose skin was the whitest of white. And in the words and in the actions and in the deeds of the 'white' Muslims, I felt the same sincerity that I felt among the black African Muslims of Nigeria, Sudan and Ghana.

"We were truly all the same (brothers) – because their belief in one God had removed the 'white' from their minds, the 'white' from their behavior, and the white from their attitude..."

Malcolm X, now El-Hajj Malik El-Shabazz, completed his pilgrimage on 19 April 1964 / 6 Zulhijjah 1383. On 21 February 1965 / 19 Syawal 1384, during a meeting of the Organization of Afro-American Unity, he was assassinated.

Malay Pilgrims to Mecca
Malay Archipelago
15th-20th century AD / 9th-15th century AH

Early Pilgrims from the Malay Archipelago

Hajj pilgrimages have been recorded in Malay history since the 15th century. During the period of the Malacca Sultanate, the Portuguese apothecary Tome Pires recorded two Malaccan rulers who intended to perform Hajj in Mecca. The first, as stated by Pires, was Sultan Mansur Shah, who reigned from 1456-1477 AD / 860-881 AH

"They say he was a man with a hundred and twenty quintals of gold and quantities of precious stones, and that he had decided to go to Mecca with a large amount of gold in a junk which he had ordered to be built in Java, and another in Pegu of great size, and that if his illness had not prevented him he would have gone there. He had already spent a great deal of money and collected many people for the journey."

Another part of Pires' *Suma Oriental* referred to Sultan Mansur Shah's successor, Sultan Alauddin Riayat, who reigned from 1477-1488 AD / 881-893 AH

"This king having decided to go to Mecca, and being in Bretam, he wanted to come to Malacca to complete his preparations; and in seven or eight days he died of fevers. He left two sons and three daughters."

Tome Pires' account should not be viewed as a record of the earliest Malay pilgrimages to Mecca. Since Hajj itself is an obligation, this pillar of Islam must have been practised by those who were able to perform it, since Islam first came to the Malay Archipelago. This was centuries before the period of the Malacca Sultanate.

As Mecca has long been a centre of learning, it has attracted visitors with a thirst for knowledge. The Holy City has been a magnet for ulama' from every part of the Islamic world. This situation continues to provide opportunities for pilgrims to discuss and exchange views about their *mazahib* (sects), besides accomplishing their annual or minor pilgrimage (umrah). As an example, Muhammad Yusuf Ahmad or Tok Kenali, a Muslim scholar from Kelantan, furthered his religious studies in Mecca at the age of 18 in the late 19th century. After six months of sailing to Mecca, he decided to stay there to gather as much as knowledge as possible from notable Muslim scholars in that city in addition to performing his Hajj pilgrimage.

By the age of 40, Tok Kenali returned to his home town in Kelantan and established a learning centre, known as Pondok Kenali, in order to disseminate religious knowledge to others. There have been many other Muslims scholars from the Malay

مك غ قلم ممنجه كن، داعوة، مولوة ممباج ساعت جبوة
فد كاوت مالم فقير برفيكير، ايغتكن اسو عنصر ان نعلد
داميل دعوه، تلم بغ صغير، دكورتكن ننتم مغيل بغبر
دغركن اوليه م سلطان، موان، مكه مدين فقير ننتم مكن
بار غيغ مود ه همبس ورتكن، سو فاى برجهى اورغ بيغ برايمان
منيكل بولن درى قدح لد دان كورغ، فلى ان لها غل منطلا هباع
جلو اغى دراى بلا كسغ، مكفى كجد ه ملوت بيغ منبع
نيب دجوده فقى ساعة، ديسولد تمفت نايك كدارة
شيخ دجده ه منتيكن، غرايغة، مندافتكن نوله هندران
صحابت جلو د اجماعد اورغ اجيد ه فولغ كفد شيخ محمد صالح
علم بغ كبير مرتابتى لبيه، فندى بولان ليد الد غجيع
اورغ بغ عالم دين، هيكى لد اكى ه بوكسر هلا الملفتى، فطني
دارى بغطله و لو بنت بتاوى بتغ ت هليغ د كوده ترجالى
د امالم موان كوده دجده ه هند ومرجال فولو همكه
كليو السيانت هان بغ مود اه كجيل سند يكت درفد الماجد

بسم الله الرحمن الرحيم

بسم الله ايت ملا دكسوة ۰ رحمن دان رحيم صيغه مغكو
دنيا اخيرة تياد الـه لرفوت ۰ كسنا غر ايكو ددلم لاوق
الحمد الله ايت فوج يغ صدي يوة ... العالمين ايت توهم يغ خالق
صلاوة اكن نبي رسول يغ صدي يوة محمد سلم امين الو دزايق
سلام يغ دايم فولاد لاته ۰ امير حمد جانجو عثـن كيت
حباية دان الكد واثلعه ۰ مغكل قيامة دنيا يغ لارت
امايحب اينله نظمه ۰ فقير مغار غ كله بكت لكلام
سقدر ايثان بكل ورغ يغ عراوه لبث ترجنتا ن يغ دان مال
دغرن اوله مكسوت جريتا ۰ فقري يغ ريستم اسفون لكات
هتيي لوك مكمات مات ۰ دعوان برج مغفور دغن ايو مات
تستلا دتورن هند قـمكله ۰ هتيي فون ابن فنجه بال
هند وق برمغلا ايبو دان ايه ۰ استهكك هابس من فنجد بال
ايله مظلم نقير يغ غريب ۰ لاكن فرجستا ن باو له نصر
دياسر دنيا دبوه لا عـة ۰ منارة تغكلو عثـن يغ امثال
جطلو اداخلق واد ان سنة مجاعثنله نوان ادا برا ونس
حمكله

Archipelago who have taken advantage of Mecca's intellectual tradition. Among the most prominent are Hamzah Fansuri, who undertook his pilgrimage at the end of the 16th century, and Abdul Rauf Singkel, who went for Hajj in 1643 AD / 1052 AH.

By the 19th and 20th centuries there was more abundant evidence of Hajj activities among Malays. Manuscripts, printed material and photographs offer first-hand sources about Malay pilgrimages to Mecca. Munshi Abdullah, an educated man from the archipelago, recorded the details of his pilgrimage in 1854 AD / 1270 AH in his famous travel account *Hikayat Pelayaran Abdullah*.

Malay Travelogues

The more learned and literate Malays have tended to preserve their experiences in writing so that they might share their knowledge. Some manuscripts that have been discovered in the Malay Archipelago, written in Jawi script, touch on many aspects of Hajj, including personal accounts as well as the religious elements of the pilgrimage.

With the development of printing technology, the hand-written manuscript was replaced by printable materials. For example, the Malay scholar Harun Aminurashid wrote of his travels to Mecca in 1960 AD / 1379 AH in a book entitled *Chatetan ka-Tanah Suchi*. This work, which is based on his journey to Mecca on board a ship named *Anshun*, is supported by photographs of himself. In one part of his writing, he brings readers inside a pilgrim ship. The rigours become apparent in this translation:

"It is hard being a passenger inside compartments that are located in the middle of ship...peoples who wanted to perform Al-Hajj must be patient...there is no pleasure or freedom as you experience on land...it seems that you have to suffer for a whole month on your way Mecca and back; the only solution is patience."

The Malay
scholar
Harun
Aminurashid
on board a
ship
travelling to
Mecca in
1960 AD /
1379 AH

Four Pilgrims from Aceh, sitting in front of their two Wakils. Malay Archipelago, 19th century AD / 13th century AH

Harun Aminurashid was not alone in sharing his excitement at performing Hajj and preparing a visual trail to Mecca for his readers. Accounts of this kind were also made by Jaafar bin Jusoh Al-Haj in a work entitled *Perihal Pemergian ke Mekah dan Madinah* that appeared in 1937 AD / 1355 AH. Another example is the account of Haji Ismail bin Haji Ishak with his *Ke Mekah Mengikut Jalan Darat* in 1975 AD / 1394 AH. Their approaches differ, but an element of hardship is always present.

A Javanese woman Pilgrims from Banten during the 19th century AD / 13th century AH

Bibliography

Ahmed Elyas Hussein. *History of the Ummah: Abbasid Dynasty 132-656 AH*. Kuala Lumpur: Dar Atajdid, 2003

Avon, Neal. *Hajj paintings: folk art of the great pilgrimage*. London: Smithsonian Institution Press, 1995

Broadhurst, R.J.C (translator). *The travels of Ibn Jubayr*. New Delhi: Goodword Books, 2001

Che Bakar bin Che Mat (ed.) *Perkembangan Islam di Nusantara*. Selangor: Pusat Penerbitan Universiti (UPENA), 2006

Di Varthema, Ludovico. *The travels of Ludovico di Varthema in Egypt, Syria, Arabia Deserta and Arabia Felix, in Persia, India and Ethiopia, A.D. 1503 to 1508*. Translated from the original Italian edition of 1510, with a preface by John Winter Jones, and edited by G.P. Badger. In Fuat Sezgin, *The Islamic world in foreign travel accounts*. Frankfurt am Main: Institute for the History of Arabic-Islamic Science at the Johann Wolfgang Goethe University, 1994. (Vol. II)

Encyclopaedia of Islam. Leiden: E. J. Brill, 1986

Gibb, H.A.R. (translator). *The Travels of Ibn Battuta*. New Delhi: Goodword Books, 2001

Hafidzi Mohd Noor and Zuraidah Kornain. *Lambaian Ka'bah*. Kuala Lumpur: JIMedia, 2006

Harvey, L.P. *Ibn Battuta*. London: I.B. Tauris, 2007

Hunsberger, Alice C. *Nasir Khusraw, the Ruby of Badakhshan: a portrait of the Persian poet, traveller and philosopher*. London: I.B. Tauris in association with the Institute of Ismaili Studies, 2003

Hurgronje, C. Snouck. *Mekka in the Latter Part of the 19th Century: daily life, customs and learning, the Moslims of the East-Indian archipelago*. Leiden: Brill, 2007

Jackson, D.E.P [ed]. *Occasional Papers of School of Abbasid Studies*. Cambridge, no. 1 1986. Leuven: Peters, 2004

Jones, Russell. *Hikayat Raja Pasai*. Kuala Lumpur: Yayasan Karyawan dan Fajar Bakti, 1999

Malcolm X. *The Autobiography of Malcolm X with the assistance of Alex Haley*. UK: Penguin Books, 1968

Muhammad Asad. *The Road to Mecca*. Kuala Lumpur: Islamic Book Trust, 1999

Muhammad Asad. *The Unromantic Orient*. Kuala Lumpur: Islamic Book Trust, 2004

Muhamad Ilyas Abdul Ghani. *Sejarah Mekah: Dulu dan Kini*. Translated by Anang Rikza Mesyady. Mecca: Al-Rasheed printers, 2004

Peters F.E. *Mecca: A Literary History of the Muslim Holy Land*. New Jersey: Princeton University Press, 1994

Peters, F.E. *The Hajj: the Muslim pilgrimage to Mecca and the holy places*. New Jersey: Princeton University Press, 1994

Pires, Tome. *The Suma Oriental of Tome Pires: an account of the East, from the Red Sea to China, written in Malacca and India in 1512-1515 and The book of Francisco Rodrigues: Pilot-Major of the armada that discovered Banda and the Moluccas*. New Delhi: Asian Educational Services, 1990. (Vol. II)

Records of the Hajj: a documentary history of the pilgrimage to Mecca. London: Archives Edition, 1993

Shaikh Safiur Rahman Mubarakpuri (ed), translated by Nasiruddin Al-Khattab. *History of Madinah Munawwarah*. Riyadh: Darussalam, 2002

Said Hamdun and King, Noel. *Ibn Battuta in Black Africa*. Princeton: Markus Weiner Publishers, 1994

Suryadinata, Leo (ed.) *Admiral Zheng He and Southeast Asia*. Singapore: Institute of Southeast Asian Studies, 2005

Tan Ta Sen and Chia Lin Sein (eds). *The Zheng He Epic: Zheng He Shi Shi.*. China: Yunnan People's Publishing House, 2006

Tuhfat Al-Nafis. Karangan Raja Ali Haji; dikaji dan diperkenalkan oleh Virginia Matheson Hooker. Kuala Lumpur: Yayasan Karyawan dan Dewan Bahasa dan Pustaka, 1998

Wolfe, Michael. *One Thousand Roads to Mecca: ten centuries of travelers writing about the Muslim pilgrimage*. New York: Grove Press, 1998

Zainal Abidin bin Abdul Wahid, Mohd. Yusof bin Ibrahim & Mohd Amin bin Hasan. *Sejarah Perkembangan Tabung Haji Malaysia 30 Tahun*. Kuala Lumpur: Lembaga Urusan dan Tabung Haji, 1993

Zheng He's Voyages Down to the Western Seas. Compiled by Information Office of the People's Government of Fujian Province. Beijing: China Intercontinental Press, 2005

List of photographs

Notes

Menuju ke Makkah

Catatan Perjalanan Sepanjang Zaman

K a n d u n g a n

Tanah Suci   114

Ka'bah tidak pernah disembah. Tetapi, ia adalah tempat yang paling suci bagi umat Islam dan memainkan peranan yang sangat penting dalam kehidupan seharian mereka. Ia telah menjadi tempat beribadat semenjak dari zaman Nabi Ibrahim ﷺ. Di dalam sejarah Islam, pernah diceritakan bahawa Nabi Ibrahim ﷺ meninggalkan isteri dan putera baginda, Ismail ﷺ, yang masih kecil ketika itu di sebuah lembah yang kontang di Makkah. Al-Qur'an menyebutnya sebagai "sebuah lembah (Tanah Suci Makkah) yang tiada tanaman padanya," (Surah Ibrahim: 37)

Ikatan Rohani   119

Mengapa ibadah haji begitu penting bagi umat Islam? Tidak seperti perjalanan lain, ia merupakan satu ekspedisi kerohanian dengan tujuan untuk menyembah Allah ﷻ di rumahNya. Jemaah mengorbankan masa, wang, keselesaan dan keseronokan duniawi apabila mereka cuba mengabdikan diri kepada Allah ﷻ dan memohon keampunanNya. Kewajipan yang dirasakan oleh setiap umat Islam memberikan mereka kekuatan untuk menempuhi pelbagai kesukaran dan untuk berpisah dengan kaum keluarga mereka. Dalam menjejaki semula langkah para nabi, ibadah haji memberikan pengajaran yang tidak akan dapat dilupakan berkenaan ketaatan dan kejujuran.

Maksud Tujuan   123

Walaupun mengharungi satu pengalaman yang kurang mencabar berbanding zaman dahulu, ibadah haji masih dilaksanakan dengan penuh keyakinan. Sejak dari awal lagi, masyarakat sekeliling turut mendoakan kesejahteraan dan keselamatan supaya mereka yang pergi menunaikan haji selamat pulang ke pangkuan keluarga dan mendapat haji yang mabrur.

Kesan perjalanan ini terhadap jemaah bermula di awal persiapan lagi. Keperibadian mereka turut berubah kerana tumpuan mereka adalah untuk mendapatkan keredhaan Allah ﷻ. Bagi mencapai matlamat ini, jemaah harus terlebih dahulu memperbaiki hubungan mereka dengan Allah ﷻ dan saudara seislam yang lain. Amat penting bagi mereka untuk bertaubat daripada segala dosa yang telah dilakukan sama ada sengaja ataupun tidak. Pada masa yang sama, kemaafan dipinta daripada keluarga, sanak saudara dan sahabat handai di atas segala kesilapan yang pernah dilakukan.

Panggilan Haji   133

Ibadah haji merupakan salah satu daripada rukun Islam. Tanggungjawab ke atas setiap orang Islam ini bersifat sejagat. Ia disyariatkan kepada semua umat Islam, yang terdiri daripada pelbagai etnik, bangsa dan kedudukan dalam masyarakat. Ia adalah perhimpunan manusia yang terbesar di atas muka bumi. Tanpa menghiraukan latarbelakang jemaah, seruan ke Makkah ialah panggilan haji ke Rumah Allah.

Kapsyen   166

Prakata Pengerusi

"Dan Allah mewajibkan manusia mengerjakan ibadah Haji dengan mengunjungi Baitullah iaitu sesiapa yang mampu sampai kepadanya;" (Surah Ali Imran: 97)

Tiada perkara lain yang boleh menggambarkan tentang semangat kesejagatan dalam Islam dengan lebih baik selain daripada ibadah haji. Jemaah haji datang dari serata tempat dan kini, kedatangan mereka mendapat liputan media seluruh dunia. Perhimpunan yang mengumpulkan seramai tiga juta umat Islam ini merupakan satu peristiwa yang hebat dan istimewa. Ibadah yang dikhususkan bagi umat Islam ini, menambahkan lagi minat mereka yang ingin mendalami ajaran Islam. Ibadah haji merupakan mikrokosma ajaran Islam: satu perhimpunan yang tidak memandang kepada pangkat dan darjat tetapi mementingkan semangat persaudaraan. Kesemua ini jelas kelihatan di dalam liputan berita dan juga segala bentuk informasi yang dikeluarkan. Namun, aspek yang kurang diketengahkan ialah bagaimana jemaah mencapai impian mereka.

Walaupun ibadah haji seringkali mendapat jolokan sebagai 'perjalanan seumur hidup', namun amat kurang pendedahan yang diberikan kepada perjalanan mereka. Pameran *Menuju ke Makkah: Catatan Perjalanan Sepanjang Zaman* menumpukan kepada rasa keterujaan dan pengalaman mencabar yang dialami oleh jemaah dalam melaksanakan tuntutan rukun Islam yang kelima ini. Dengan adanya kemudahan pengangkutan udara pada waktu ini, kesusahan yang dihadapi oleh jemaah sewaktu dalam perjalanan telah dapat dikurangkan. Begitu juga dengan tempoh perjalanan yang telah menjadi semakin singkat, jika dahulu ia mengambil masa bertahun, kini, ia cuma mengambil masa beberapa hari. Walaupun cara untuk sampai ke Makkah telah jauh berbeza, namun, tujuan dan rukun ibadah ini masih kekal sama seperti seribu empat belas tahun dahulu.

Dalam konteks yang lebih luas, penambahbaikan dalam urusan ibadah haji membuktikan kesungguhan umat Islam untuk beribadah. Pameran serta penerbitan mengenainya membawa pembaca dan pengunjung mengimbau semula pengalaman perjalanan di waktu dahulu. Contoh yang terbaik ialah Nabi Muhammad ﷺ sendiri. Beberapa jemaah haji dari pelbagai zaman turut diketengahkan di dalam pameran dan penerbitan ini, catatan pengalaman mereka telah banyak memberi pengajaran. Tanpa mengira asal usul ataupun kedudukan, jemaah memulakan satu perjalanan yang mereka rasakan mungkin sebagai yang terakhir bagi mereka. Perjalanan ini sering menjadi impian bagi umat Islam. Selain menjadi tiang agama, ibadah haji merupakan pelengkap kepada kehidupan umat Islam. Bagi menjejakkan kaki di Makkah, tempat yang menjadi kiblat kepada lebih daripada satu billion umat Islam ketika bersembahyang, adalah berbaloi dengan melakukan banyak pengorbanan untuknya. Pada waktu dahulu, ia hanya boleh dicapai oleh mereka yang berhati cekal sahaja. Tetapi kini, permintaannya lebih tinggi berbanding dengan tempat yang disediakan. Dengan kuota yang diperuntukan bagi setiap negara, kini ibadah haji menjadi lebih eksklusif. Namun ibadah haji tetap menjadi tumpuan.

Muzium bukan hanya sekadar tempat mempamerkan objek yang menarik. Ia juga boleh menyampaikan sebuah kisah yang menarik, dan terdapat beberapa kisah perjalanan daripada jemaah lelaki dan wanita yang telah berjaya menjejakkan kaki di Makkah. Meskipun jalan dan persekitarannya selalunya getir tetapi ia akan bertukar menjadi satu kejayaan yang manis ketika sampai ke tempat yang dituju. Yayasan Albukhary amat berbesar hati dan bersyukur kerana dapat membantu meringankan masalah kewangan lebih daripada 600 orang jemaah dari pelbagai negara untuk menunaikan ibadah haji.

Syed Mokhtar Albukhary

Mukadimah Pengarah

"Dan hendaklah kamu bertolong-tolongan untuk membuat kebajikan dan bertaqwa, dan janganlah kamu bertolong-tolongan pada melakukan dosa (maksiat) dan pencerobohan"
(Surah Al-Ma'idah: 2)

Bulan ke dua belas dalam kalendar Islam menandakan satu peristiwa yang penting. Ia adalah perhimpunan tahunan yang mengumpulkan umat Islam daripada seluruh pelusuk dunia. Mereka berhimpun di tempat paling suci di tanah Arab dengan satu tujuan: untuk menunaikan haji. Berlainan dengan perjalanan biasa, ibadah haji merupakan satu perjalanan suci yang membawa jemaah ke Makkah demi melaksanakan rukun dan kewajipan yang telah ditentukan waktunya. Ia memerlukan kekuatan mental dan fizikal serta pengorbanan masa dan wang.

Menuju ke Makkah: Catatan Perjalanan Sepanjang Zaman menceritakan satu kisah perjalanan yang meliputi destinasi yang dituju, diperkasakan dengan faktor lain yang menjadikan ibadah haji lebih bermakna. Peranan yang dimainkan oleh Nabi Ibrahim ﷺ dan keluarganya turut diketengahkan di dalam pameran ini disamping kisah mengenai tanah suci Makkah dan tempat di sekitarnya. Haji Perpisahan yang ditunaikan oleh Nabi Muhammad ﷺ turut menjadi intipati pameran, di mana rukun yang sama masih diamalkan oleh jemaah haji sehingga ke hari ini. Semenjak itu, umat Islam tidak pernah gagal menuruti jejak langkah para nabi ﷺ.

Selain merupakan ibadah, haji turut mencerminkan keindahan Islam. Ini bukan sahaja dapat dilihat daripada hubungan antara makhluk dengan Penciptanya, malah dalam hubungan sesama manusia dan persekitarannya. Ibadah haji ibarat satu latihan yang melatih umat Islam mempertingkatkan potensi diri, memperbaiki kelemahan dan juga mengukuhkan keimanan mereka.

Seperti ibadah haji, *Menuju ke Makkah* telah menyatukan beberapa individu dan institusi yang berbeza tetapi berkongsi matlamat serta cita-cita yang sama dalam merealisasikan pameran ini. Saya ingin mengucapkan ribuan terima kasih kepada

TV9, rakan media kami, dan *Irna Yakin Travel and Tours* yang banyak membantu dalam menjadikan pameran ini sesuatu yang istimewa. Ucapan terima kasih ini juga ditujukan kepada Angus Sladen, yang telah memberikan kebenaran untuk berkongsi pengalaman moyang beliau, Lady Evelyn Cobbold ketika mengerjakan ibadah haji. Kami turut terhutang budi kepada pihak penerbitan di Leiden dan Kuala Lumpur kerana memberikan kebenaran dalam menghasilkan semula gambar-gambar yang sangat berharga, juga kepada Mohd Lotfi Lokman bagi koleksi gambarnya yang terkini.

Kesan daripada perjalanan ini bukan sahaja dapat dilihat dalam pemikiran dan perlakuan jemaah, malah ia juga boleh dilihat pada hasil kerja seni. Sebahagian daripadanya merupakan gambaran Masjid Al-Haram, ataupun bahan-bahan yang digunakan untuk menghiasi masjid ini serta monumen yang lain; sebahagian yang lain merupakan barangan kegunaan harian seperti kelalang air yang unik dan indah.

Perjalanan haji tidak berakhir di Makkah. Ia berterusan sehingga jemaah pulang ke kampung halaman masing-masing. Menjadi tetamu Allah di rumahNya yang suci merupakan idaman bagi setiap umat Islam. Ia adalah laluan yang penuh dengan keikhlasan, keazaman dan iltizam serta keindahan yang tiada tandingannya.

Syed Mohamad Albukhary

Tanah Suci

Ka'bah tidak pernah disembah. Tetapi, ia adalah tempat yang paling suci bagi umat Islam dan memainkan peranan yang sangat penting dalam kehidupan seharian mereka. Ia telah menjadi tempat beribadat semenjak dari zaman Nabi Ibrahim ﷺ. Di dalam sejarah Islam, pernah diceritakan bahawa Nabi Ibrahim ﷺ meninggalkan isteri dan putera baginda, Ismail ﷺ, yang masih kecil ketika itu di sebuah lembah yang kontang di Makkah. Al-Qur'an menyebutnya sebagai "sebuah lembah (Tanah Suci Makkah) yang tiada tanaman padanya," (Surah Ibrahim: 37)

Makkah telah menjadi sebuah pusat sehenti bagi pedagang dan jemaah haji setelah terbitnya mata air di tempat yang terpencil itu. Kisah ini terjadi sewaktu Ismail ﷺ menangis kehausan dan menghentakkan kedua kakinya ke tanah. Dengan izin Tuhan Yang Maha Pemurah, terpancutlah air dari bumi. Dalam usaha untuk mengepung mata air yang keluar daripada hentakan tumit puteranya itu daripada terus mengalir, Hajar berulangkali menyebut *zam zam*, yang bermaksud kepung. Hingga kini, sumur ini dikenali oleh seluruh jemaah haji, sebagai telaga Zamzam.

Dengan pertolongan daripada putera baginda, Nabi Ibrahim ﷺ meletakkan asas binaan Ka'bah. Sejak daripada itu, banyak tradisi yang kekal. Kini, jemaah dapat melihat kesan tapak kaki baginda pada sebongkah batu yang dikenali sebagai 'Makam Ibrahim'. Seperti yang disebutkan di dalam Al-Qur'an: "Bersihkanlah Rumahku (Ka'bah dan Masjid Al-Haram dari segala perkara yang dilarang) untuk orang-orang yang bertawaf, dan orang-orang yang beriktikaf (yang tetap tinggal padanya), dan orang-orang yang rukuk dan sujud". (Surah Al-Baqarah: 125). Selain itu, berhampiran dengan salah sebuah dinding Ka'bah, tegak berdiri sebuah struktur yang dikenali sebagai Hijir Ismail. Inilah tempat terletaknya khemah untuk Hajar dan puteranya, Ismail ﷺ, berteduh setelah ditinggalkan oleh Nabi Ibrahim ﷺ di bumi yang suci itu. Hijir Ismail ialah sebahagian daripada struktur binaan Ka'bah. Ia berbentuk separuh bulat dan termasuk dalam kawasan tawaf.

Disebabkan oleh beberapa kejadian banjir dan kebakaran, Ka'bah telah melalui beberapa pembinaan semula. Yang paling penting ialah sewaktu zaman Quraysh, ketika mana bentuk Ka'bah itu diubah kepada bentuk sebuah kubus seperti yang dapat dilihat pada hari ini. Setelah selesai kerja pembinaan semula, wujud satu perbalahan di antara para pemimpin kabilah untuk meletakkan semula Hajar Al-Aswad ke tempat asalnya. Bagi menyelesaikan masalah ini, seorang daripada pemimpin kabilah telah mencadangkan agar keputusan itu hanya boleh dibuat oleh orang yang paling awal masuk ke dalam kawasan masjid ini pada keesokan harinya. Dengan izin-Nya, Nabi Muhammad ﷺ merupakan orang pertama melangkah ke dalam masjid. Baginda kemudiannya mengarahkan agar Hajar Al-Aswad diletakkan di atas sehelai kain dan setiap daripada pemimpin kabilah memegang bucu kain dan membawa Hajar Al-Aswad ke tempat asalnya. Sejak itu, tempat tersebut telah menjadi tempat permulaan pusingan ibadah tawaf.

Demi memelihara kesucian Ka'bah, telah menjadi tradisi sejak berzaman lagi untuk menutup struktur binaan ini dengan sempurna. Pada zaman Nabi Muhammad ﷺ, Ka'bah telah ditutup dengan kain broked, kain buatan Yamani dan juga kain putih buatan Mesir yang dikenali sebagai *qibati*. Sewaktu dinasti Umayyah (662-750 M / 41-132 H), kain penutup Ka'bah ditukar dua kali setahun, kali pertama dengan kain broked pada setiap 9 Zulhijjah manakala kain *qibati* pula sewaktu menjelangnya sambutan Aidilfitri. Berabad lamanya, perbarisan tahunan yang terdiri daripada Mahmal dan juga tentera pengiring membawa masuk kiswah setiap kali menjelangnya musim haji. Tradisi menutup struktur Ka'bah masih lagi diteruskan sehingga kini. Yang paling utama ialah apabila Sultan Abdul Aziz Al-Saud menubuhkan sebuah institusi yang dipertanggungjawabkan untuk menghasilkan kiswah di wilayah Arab Saudi pada 1920an. Sejak 1977, setiap helai kiswah dihasilkan di Makkah. Walaupun kilang ini dilengkapi dengan pelbagai peralatan moden, namun sehingga kini, kerja sulaman masih lagi dilakukan dengan menggunakan tangan.

Keamanan dan keselamatan tanah suci ini sentiasa berada dalam perlindungan Allah ﷻ. Seperti yang termaktub di dalam kitab suci Al-Qur'an: "Maka hendaklah mereka menyembah Tuhan yang menguasai rumah (Ka'bah) ini, Tuhan yang memberi mereka penghidupan: menyelamatkan mereka dari kelaparan, dan mengamankan mereka dari ketakutan." (Surah Quraysh: 3-4). Selain daripada keselamatan para jemaah haji, tumbuh-tumbuhan dan tanaman juga dilindungi daripada ditebang. Begitu juga halnya dengan binatang perliharaan yang dilarang daripada diburu.

Semenjak dari awal lagi, tanggungjawab menjaga hal ehwal haji dibahagikan di antara suku kaum Quraysh. Contoh yang paling penting ialah Bani Abd Al-Mutalib yang diberi keistimewaan dalam menyediakan makanan dan minuman, manakala Bani Shaiban memegang amanah kunci pintu Ka'bah sehingga kini.

Makkah bukan sahaja merupakan tempat untuk beribadah. Ada yang datang dari jauh dan dekat membawa satu lagi matlamat iaitu perdagangan. Mereka merentasi tanah gersang ini dengan membawa pelbagai barangan dan keperluan lantas menjadikan padang pasir yang kontang ini sebuah pusat yang maju dengan pelbagai aktiviti perdagangan.

Rukun Islam kelima
Dalam ajaran Islam, ibadah haji difardukan ke atas setiap umatnya yang telah baligh, samada lelaki atau wanita "yang mampu sampai kepadanya" (Surah Ali Imran: 97). Selain daripada kewangan yang cukup untuk memulakan perjalanan, kesihatan setiap jemaah juga perlu diambil perhatian, bagi mengelakkan sebarang kesukaran yang bakal ditanggung.

Kesemua lima rukun Islam membicarakan tentang kewajipan umat Islam terhadap Penciptanya dan juga kepada saudara seislam yang lain. Ibadah haji merupakan rukun Islam kelima yang menggabungkan tanggungjawab setiap individu terhadap Penciptanya dengan manusia sejagat. Menyedari ke-Esaan Allah ﷻ dengan hati yang ikhlas adalah penting dalam menunaikan segala rukun dan kewajipan haji. Pada waktu yang sama, ibadah haji memupuk semangat persaudaraan dan juga perkongsian sesama Islam sebagai satu ummah.

Setiap tahun, lebih kurang dua hingga tiga juta jemaah haji berkampung di Makkah sewaktu bulan Zulhijjah, bulan ke 12 dalam kalendar Islam. Ibadah ini bukan sahaja dilakukan di sekitar kawasan Masjid Al-Haram, namun perjalanan jemaah turut melibatkan beberapa lokasi lain seperti Arafah, Muzdalifah dan Mina.

Haji Perpisahan

Ketika zaman Jahiliyyah, sebelum tersebarnya ajaran Islam, peranan Ka'bah telah diubah. Kaum Quraysh meletakkan pelbagai jenis berhala dan melakukan pelbagai perkara yang bercanggah dengan perbuatan yang diperkenalkan oleh Nabi Ibrahim ﷺ. Syair masyarakat setempat digantung pada dinding Ka'bah. Sewaktu peristiwa Pembukaan Kota Makkah pada 630 M / 8 H, Nabi Muhammad ﷺ memusnah-kan kesemua 360 buah berhala yang diletakkan di sekeliling Ka'bah. Tujuan dan maksud asal Rumah Allah ini dikembalikan dengan kejayaan cemerlang umat Islam.

Pada tahun kesepuluh setelah hijrah Nabi Muhammad ﷺ ke Madinah pada 622 M / 1 H, misi baginda hampir ke penghujungnya. Sehingga detik itu baginda belum pernah lagi menunaikan kewajiban umat Islam yang satu ini, iaitu ibadah haji. Sebaik sahaja tersebarnya berita tentang hasrat Nabi Muhammad ﷺ untuk ke Makkah bagi melaksanakan ibadah haji, umat Islam dari seluruh pelusuk Semenanjung Tanah Arab telah berkumpul di Madinah. Khemah didirikan bagi menyambut ketibaan mereka yang berduyun-duyun masuk ke kota Madinah.

Mereka mengatur persediaan untuk perjalanan suci ini bersama dengan Nabi Muhammad ﷺ. Pada waktu tengahari, 25 Zulkaedah, jalan-jalan di sepanjang kota Madinah dipenuhi dengan ribuan umat Islam yang mula bergerak menuju ke Makkah. Ada yang berjalan kaki dan ada yang menaiki tunggangan: kuda dan unta. Mereka datang dari seluruh pelusuk dataran dan padang pasir membawa niat yang satu. Sambil berjalan, kedengaran suara talbiyah berkumandang di udara: "*Labbayk Allahumma labayk, Labbayka la syarikalaka labbayk, Innal hamda, Wanni'mata, Laka walmulk, La sharikalak*".

Selang beberapa hari kemudian, pada 4 Zulhijjah, Nabi Muhammad ﷺ dan jemaah haji yang lain tiba di perkarangan Masjid Al-Haram. Kesemua mereka memakai pakaian ihram. Dengan diketuai oleh Nabi Muhammad ﷺ , mereka bertawaf di sekeliling Ka'bah sebanyak tujuh pusingan. Kemudian berlari-lari anak di antara bukit Safa dan Marwah.

Jemaah bermalam di situ selama beberapa hari sebelum bergerak menuju ke Mina. Selepas menghabiskan tiga malam di sana, mereka meneruskan perjalanan ke Arafah. Dengan menunggang untanya, Nabi Muhammad ﷺ menuju ke Lembah Uranah. Jemaah berkumpul di sekeliling Nabi Muhammad ﷺ untuk mendengar khutbah yang disampaikan oleh baginda. Di antara perkara yang disentuh dalam khutbah tersebut adalah yang berkaitan tentang pemilikan harta, perdagangan, hubungan suami isteri, keturunan dan juga kemanusiaan. Sebaik sahaja baginda selesai memberikan khutbah, maka turunlah sepotong ayat Al-Qur'an yang menandakan sempurna sudah agama ini untuk umatnya. 'Aku telah sempurnakan bagi kamu agama kamu, dan Aku telah cukupkan nikmatKu kepada kamu, dan Aku telah redhakan Islam itu menjadi agama untuk kamu'. (Surah Al-Maidah: 3)

Perjalanan itu diteruskan lagi sehingga sampai ke Muzdalifah, tempat di mana mereka mengutip batu kecil untuk dilontarkan ke tiang Jamarat, yang merupakan kiasan daripada kisah Nabi Ibrahim membaling batu kepada syaitan. Setelah itu, mereka kembali ke Makkah untuk menunaikan ibadah korban. Hari itu disebut sebagai Aidiladha. Setelah selesai, mereka kembali ke Mina. Akhir sekali, sebelum pulang ke Madinah, mereka mengerjakan tujuh pusingan tawaf 'selamat tinggal'.

Kesemua amalan ini adalah untuk memperingati kembali peristiwa yang pernah dialami oleh Nabi Ibrahim ﷺ . Mereka melakukan amalan yang sama dalam ibadah haji seperti yang diamalkan oleh umat Islam sehingga kini. Kisah yang dikenali sebagai Hajjatul Wada' (Haji Perpisahan) ini, berlaku dalam tahun yang sama dengan kewafatan Nabi Muhammad ﷺ .

Ikatan Rohani

Mengapa ibadah haji begitu penting bagi umat Islam? Tidak seperti perjalanan lain, ia merupakan sebuah ekspedisi kerohanian dengan tujuan untuk menyembah Allah ﷻ di rumahNya. Jemaah mengorbankan masa, wang, keselesaan dan keseronokan duniawi apabila mereka cuba mengabdikan diri kepada Allah ﷻ dan memohon keampunanNya. Kewajipan yang dirasakan oleh setiap umat Islam memberikan mereka kekuatan untuk menempuh pelbagai kesukaran dan untuk berpisah dengan kaum keluarga mereka. Dalam menjejaki semula langkah para nabi, ibadah haji memberikan pengajaran yang tidak akan dapat dilupakan berkenaan ketaatan dan kejujuran.

Haji bukan sekadar himpunan beberapa buah amalan. Ia merupakan transformasi jemaah menjadi seorang yang lebih baik. Seperti juga empat rukun Islam yang lain, haji memperkukuhkan ikatan rohaniah di antara manusia dengan Penciptanya. Sebagai tetamu Allah di Rumah Suci-Nya (Baitullah Al-Haram) jemaah perlu berusaha untuk mendalami erti di sebalik setiap rukun. Nikmat kemanisan imanlah yang dicari oleh setiap jemaah.

Perjalanan bermula sebelum jemaah bergerak menuju ke Kota Suci Makkah. Memandangkan ianya menguji ketahanan fizikal, mental dan rohani setiap umat Islam, persediaan awal adalah amat penting. Makkah dan persekitarannya adalah tempat peningkatan iman bagi umat Islam. Jemaah menimba pengajaran di setiap perhentian dan berharap agar dapat meninggalkan kota Makkah dengan pengampunan dan hati yang bersih. Dalam kebanyakan hadis, Nabi Muhammad ﷺ bersabda: "Sesiapa yang mengerjakan haji dan tidak melakukan perkara-perkara maksiat (rafath) atau kejahatan akan pulang bebas dari dosa seperti pada hari ibunya melahirkannya."

Namun begitu, Makkah bukanlah destinasi terakhir. Perjalanan ini masih berterusan walaupun jemaah telah pulang ke pangkuan keluarga. Di situlah mereka akan mengamalkan apa yang telah dipelajari dari pengalaman haji mereka. Ia merupakan latihan untuk menjadi seorang Muslim yang lebih baik, berhati bersih dan berakhlak mulia. Pengalaman mereka bukan sahaja untuk diceritakan, malah perlu diperlihatkan di dalam kehidupan seharian mereka. Jika hanya sekadar meniru perbuatan yang ditetapkan oleh Nabi ﷺ tanpa penyelarasan fikiran dan perasaan, seseorang jemaah mungkin akan pulang ke tanahair dengan minda dan jiwa yang kosong.

Sebagai perhimpunan keagamaan tahunan yang terbesar, haji menyatukan orang-orang beriman yang datang ke Baitullah Al-Haram dari seluruh pelusuk dunia. Ia merupakan manifestasi persaudaraan, kesamaan dan perpaduan. Haji meraikan perpaduan agama dari kepelbagaian budaya, bangsa dan kewarganegaraan. Selain daripada beribadah, haji juga menggalakkan para jemaah untuk berkongsi budaya, layanan baik dan idea sambil meluaskan pemikiran pada masa yang sama. Jemaah dari segenap pelusuk dunia berhimpun di satu lokasi dengan satu tujuan. Perasaan persaudaraan yang kukuh kian membara pada pertemuan agung ini. Umat Islam menyedari bahawa mereka adalah bersaudara, biarpun terdapat pelbagai perbezaan di antara mereka. Sifat saling bantu-membantu dan bertoleransi kepada amalan budaya yang berbeza sudah menjadi perkara yang lumrah.

Jemaah lelaki, tidak kira darjat atau warna kulit, memakai pakaian ihram berwarna putih yang tidak berjahit. Manakala jemaah wanita pula perlu mengenakan pakaian yang hanya memperlihatkan wajah dan pergelangan tangan sahaja, pakaian yang sama dipakai sewaktu bersembahyang. Pakaian ini merupakan manifestasi penyingkiran perihal duniawi di dalam usaha mereka untuk mengecapi kesedaran rohani yang lebih tinggi. Mereka mengamalkan kesederhanaan dan perpaduan di majlis pertemuan yang hebat ini, dan jemaah memasuki alam baru dengan berserah sepenuhnya kepada Allah ﷻ.

Jemaah lelaki juga wajib menanggalkan sebarang penutup kepala kerana ia lazimnya melambangkan simbol status. Semua harus tampil sedarjat di sisi Allah ﷻ. Sepatutnya tidak ada sebarang perbezaan antara orang yang beriman: "Sesungguhnya orang yang paling mulia di antara kamu di sisi Allah ialah orang yang paling bertakwa di antara kamu.." (Surah Al-Hujurat: 13)

Jemaah yang bertutur di dalam bahasa yang berbeza berzikir dengan talbiyah yang sama, menyahut panggilan Yang Maha Esa. Apa jua zon masa di tempat mereka, umat Islam hadir ke Rumah Allah menurut perintahNya dalam masa yang telah ditetapkan bagi mereka. Ketika mengerjakan tawaf, mereka bergerak ke arah yang sama. Mereka berbaris dan berdiri bersentuhan bahu ke bahu ketika bersembahyang setiap hari. Kaya atau miskin, hitam atau putih, mereka mengikut seorang imam, yang mengetuai solat.

Jalan Perpaduan

Laluan ke Makkah terbuka untuk perdagangan dan agama. Sejak sebelum kedatangan Islam, ia merupakan pusat perdagangan yang penting dan juga merupakan sebuah tempat ibadah. Sejak dari Haji Perpisahan, yang diketuai Nabi Muhammad ﷺ, orang Islam telah berpusu-pusu ke Makkah, untuk mengikut menjejak langkah baginda. Apabila Islam tersebar ke serata dunia, bilangan umat Islam yang menziarahi Tanah Suci juga semakin bertambah setiap tahun, terutamanya pada musim haji.

Pada waktu dahulu, perjalanan ke Makkah penuh dengan cabaran. Perjalanan yang sememangnya sukar itu turut berbahaya. Laluannya terdedah kepada ancaman perompak, cuaca buruk, penyakit dan pergolakan politik. Ramai jemaah yang terkorban di dalam perjalanan, dan ada juga yang sesat. Namun ianya tidak mematahkan semangat orang Islam untuk menunaikan tanggungjawab haji.

Sistem pengangkutan pada masa itu agak berbeza, biarpun apa jua laluan yang di ambil, para jemaah perlu memasuki Makkah melalui salah satu daripada beberapa laluan haji. Antara yang paling penting ialah laluan dari Kaherah, Baghdad dan Istanbul. Sehingga abad ke 19 M / abad ke 13 H, karavan unta adalah amat penting.

Ia dilengkapkan dengan bekalan yang mencukupi untuk menampung keperluan mereka di sepanjang perjalanan. Keselamatan juga perlu diambil kira. Yang miskin mengembara sendirian, dan kerap kali berhenti seketika untuk mencari rezeki sekiranya mereka kehabisan bekalan. Ada kalanya perjalanan mereka memakan masa selama bertahun-tahun lamanya.

Menyedari kepentingan haji sebagai tanggungjawab sosial, para pemerintah dan penaung turut membantu dalam memudahkan perjalanan jemaah. Sebuah sistem karavanserai yang membekalkan air dan perlindungan merupakan salah satu daripada sumbangan mereka. Sebilangan perigi, empangan dan jambatan dibina di sepanjang jalan untuk memudahkan laluan para jemaah. Dengan pembukaan Terusan Suez, Perkhidmatan Keretapi Hijaz dan Lapangan Terbang Jeddah, sistem pengangkutan telah menjadi bertambah baik. Pengalaman mengembara ke Makkah telah berubah sepenuhnya pada abad ke-21 M / abad ke 15 H dan risikonya juga hampir tiada. Tetapi, pada masa yang sama, ganjaran rohaniah yang bakal diperolehi masih lagi sehebat dahulu.

Maksud Tujuan

Walaupun mengharungi satu pengalaman yang kurang mencabar berbanding zaman dahulu, ibadah haji masih dilaksanakan dengan penuh keyakinan. Sejak dari awal lagi, masyarakat sekeliling turut mendoakan kesejahteraan dan keselamatan supaya mereka yang pergi menunaikan haji selamat pulang ke pangkuan keluarga dan mendapat haji yang mabrur.

Kesan perjalanan ini terhadap jemaah bermula sejak di awal persiapan lagi. Keperibadian mereka turut berubah kerana tumpuan mereka adalah untuk mendapatkan keredhaan Allah ﷻ. Bagi mencapai matlamat ini, jemaah harus terlebih dahulu memperbaiki hubungan mereka dengan Allah ﷻ dan saudara seislam yang lain. Amat penting bagi mereka untuk bertaubat daripada segala dosa yang telah dilakukan sama ada sengaja ataupun tidak. Pada masa yang sama, kemaafan dipinta daripada keluarga, sanak saudara dan sahabat handai di atas segala kesilapan yang pernah dilakukan.

Ibadah haji bukan sahaja dilaksanakan semata-mata untuk mencari ganjaran daripada segi kebendaan. Malah, matlamat haji itu sendiri adalah untuk mengharapkan ganjaran Syurga Firdaus. Seperti yang diriwayatkan oleh Al-Bukhari,

Nabi Muhammad ﷺ bersabda, "Satu Umrah dengan Umrah yang lain adalah penghapus dosa. Dan Haji Mabrur (yang diterima) amalannya, tidak dibalas baginya melainkan Syurga."

Seperti perlaksanaan ibadah yang lain, jemaah haji haruslah terus berusaha dan berdoa bagi memperolehi haji yang mabrur. Ini kerana, doa merupakan senjata bagi umat Islam, seperti yang disebutkan di dalam Al-Qur'an, "Dan Tuhan Kamu berfirman: 'Berdoalah kepadaKu nescaya Aku perkenankan doa permohonan kamu!'. (Surah Al-Ghafir:60)

Di antara tanda-tanda yang dianugerahkan Allah ﷻ kepada mereka yang memperolehi haji yang mabrur ialah mereka berubah menjadi seorang yang lebih baik. Seperti yang disebutkan di dalam bab yang terawal, ibadah haji memainkan peranan dalam mengubah sempadan iman seseorang. Penghayatannya membawa kepada peningkatan kualiti minda dan jiwa. Dengan memikirkan tentang rukun ibadah ini daripada dimensi yang berbeza, ibadah haji turut memperbaiki kelemahan dan mendorong jemaah untuk meningkatkan keperibadian sebagai seorang Islam. Ketenangan rohani yang dicapai diperlihatkan secara zahir. Menahan diri daripada melakukan dosa juga merupakan satu daripada tanda ibadah haji seseorang itu diterima oleh Allah ﷻ.

Mengingati Allah ﷻ, beserta dengan pengabdian dan kepatuhan sepenuhnya terhadapNya, tidak berakhir setelah tamatnya segala rukun dan kewajipan haji. Sekembalinya ke tanahair, jemaah harus mengekalkannya dengan senantiasa mengabdikan diri kepada Allah ﷻ dan mengamalkan sunnah RasulNya. Mereka mesti memainkan peranan sebagai ahli masyarakat Sejak sebelum zaman Nabi Muhammad ﷺ lagi, gelaran haji telah diberikan kepada jemaah lelaki, manakala jemaah wanita pula menerima gelaran hajah. Masyarakat memandang tinggi terhadap mereka. Oleh itu, mereka haruslah menjadi contoh tauladan bagi yang masih lagi menunggu seruan haji. Bagi mereka yang pulang daripada mengerjakan haji, pasti ramai tetamu yang datang berkunjung untuk mendengar pengalaman perjalanan mereka di sana. Pengisahan ini memberi inspirasi kepada mereka yang mengharapkan ketenangan beribadah di Tanah Suci Makkah.

Tidak dapat dinafikan ibadah haji merupakan satu penghijrahan. Dalam melaksanakan tanggungjawab sebagai seorang Islam, jemaah haji meneruskan misi yang dibawa oleh para nabi, dengan berjihad menentang hawa nafsu. Cabaran yang paling besar adalah apa yang akan berlaku selepas itu. Setelah mereka pulang dan menjalani kehidupan seharian seperti biasa, adakah mereka akan mengekalkan sikap yang sama seperti sewaktu mereka mengerjakan ibadah haji? Adakah orang di sekeliling mereka akan diperlihatkan dengan sifat keikhlasan, kasih sayang, kemanusiaan, rasa hormat dan kemaafan? Jawapannya pasti berbeza di antara seorang individu dengan individu yang lain, dan juga berbeza mengikut pengalaman peribadi serta pengajaran yang mereka ambil di sepanjang perjalanan melaksanakan ibadah haji ini.

Salah faham

Walaupun ibadah haji menggalakkan keikhlasan pengorbanan di jalan Allah ﷻ, namun ia bukan sesuatu yang pelik jika orang Islam sering salah faham akan maksud dan tujuan di sebalik perjalanan suci ini. Ada di antara mereka yang begitu ghairah untuk melaksanakan ibadah ini sehingga sanggup menggadaikan segala harta benda yang mereka miliki semata-mata untuk membiayai perjalanan mereka ke sana. Tanggapan ini menyusahkan diri mereka sendiri dan juga tanggungan yang mereka tinggalkan di tanahair. Oleh kerana itu, ibadah haji ini hanya diwajibkan ke atas mereka yang betul-betul berkemampuan; cukup untuk perjalanan ke Makkah dan juga cukup untuk keluarga yang ditinggalkan agar berada di dalam keadaan yang baik.

Dalam sebuah hadith, Nabi Muhammad ﷺ bersabda, "Barangsiapa yang mengerjakan ibadah haji, maka dia akan kembali seperti hari dia dilahirkan oleh ibunya." Bersih tanpa dosa. Pengajarannya, adalah amat penting bagi umat Islam untuk memahami konsep ibadah haji itu dengan lebih mendalam. Haji bukan merupakan satu ibadah untuk menampung kekurangan dalam ibadah yang lain. Perlaksanaan kesemua lima rukun Islam adalah wajib bagi membina satu struktur yang kukuh dan juga bagi melengkapkan tanggungjawab seseorang individu itu sebagai seorang Islam.

Ramai di kalangan umat Islam menunggu sehingga usia lanjut untuk mengerjakan ibadah haji. Pemikiran ini amat berbahaya. Malah, mengerjakan ibadah haji di kala usia masih muda merupakan satu keuntungan. Ini kerana rukun perbuatannya menuntut kepada kekuatan fizikal dan mental. Tambahan pula, Nabi Muhammad ﷺ menggalakkan umatnya yang sudah cukup dari segi kemampuan material dan fizikal untuk menyegerakan perlaksanaan ibadah ini. Mungkin ditakuti ada yang menghalang daripada menunaikannya pada masa akan datang.

Ketika berada di luar rutin harian mereka, jemaah haruslah tidak mendambakan penginapan, pengangkutan serta juadah yang mewah. Ibadah haji bukanlah satu percutian. Bekalan yang paling baik seharusnya disediakan oleh setiap jemaah adalah takwa. Kesusahan yang dihadapi sewaktu dalam perjalanan suci ini merupakan pengajaran yang paling baik untuk dihayati.

Kesan ke atas seni
Gambar Masjid Al-Haram, terutamanya Ka'bah boleh didapati dalam pelbagai media kreatif. Sama ada disulam di atas tekstil, dilukis di atas kanvas ataupun ditenun menjadi hamparan yang indah, Ka'bah sentiasa diberikan tumpuan. Sehelai hamparan dengan gambar Ka'bah turut dijadikan sebagai kain penutup keranda. Hasilnya, ia boleh dijadikan sebagai cenderamata haji ataupun sebagai peringatan bahawa suatu hari nanti mereka harus menjejakkan kaki ke tanah yang suci itu.

Dalam media yang lain, Masjid Al-Haram seringkali dilihat menghiasi halaman manuskrip berkenaan doa dan selawat ke atas Nabi Muhammad ﷺ .Kitab Dalail Al-Khayrat merupakan di antara karya Imam Sufi yang terkenal, Al-Jazuli. Di samping Masjid Al-Haram, kitab ini turut memuatkan ilustrasi Masjid Al-Nabawi di Madinah. Dalam skala yang lebih besar, kedua-dua buah masjid ini turut digunakan sebagai mural dinding luar terutamanya di kediaman persendirian di Afrika Utara. Ini menunjukkan perasaan rindu mereka yang mendalam terhadap Rumah Allah ini. Seperti yang diilhamkan melalui kisah yang dipetik daripada Al-Qur'an serta cerita perjalanan haji mereka yang berpengalaman, lukisan ini memberikan tujuan yang sama seperti rekod pengembaraan.

Demi mengharapkan agar pengalaman mereka dapat memberikan manfaat kepada yang lain, seringkali ditemui penulisan jemaah haji yang berkisar tentang perasaan, pandangan dan pemikiran mereka ke atas setiap kejadian yang berlaku di sepanjang perjalanan mereka. Kadangkala, penulisan ini dalam gaya yang tersendiri seperti yang tercatat dalam rekod pengembaraan abad ke 19 M / abad ke 13 H yang dikarang oleh seorang jemaah yang tidak diketahui identitinya. Ia digubah dalam bentuk puisi.

Memegang kalam memancahkan dakwat

Mulut membaca tangan menyurat

Pada suatu malam faqir berfikir

Ingatkan untung nasib dan takdir

Di ambil dakwat kalam yang saghir

Disuratkan nazam mengambil ta'bir

Dengarkan olehmu sekelian taulan

Makkah Madinah faqir nazamkan

Barang yang mudah hamba suratkan

Supaya berahi orang yang beriman

Tiga bulan dari Kedahlah dan kurang

Pelayaran kapal tatkala menyeberang

Jikalau angin dari belakang

Sampai ke Jeddah (laut) yang tenang

Tiba di (Jeddah) faqir sesanggat

Di situlah tempat naik ke darat

Sheikh di Jeddah menantikan dengan ingat

Mendapatkan tuan (....)

Sahabat jikalau ada jamaah orang (Acheh)

Pulang kepada Sheikh Muhammad Saleh

Alim yang kabir martabatnya lebih

Pandai berkata lidahnya fasih

Orang yang lain demikianlah lagi

Bukasar Melaka Kelantan Patani

Di Rawah Bangkahulu Bentan Betawi

Sheikhnya masing-masing sudah terjali

Dua malam tuan sudah di Jeddah

Hendak berjalan pula ke Makkah

Disewalah unta mana yang mudah

Kecil sedikit daripada gajah

Rukun Haji dan Umrah

Umrah

Umrah boleh dianggap sebagai haji kecil. Rukunya lebih sedikit berbanding ibadah haji dan ia boleh dilakukan pada bila-bila masa. Kesemua lima rukun ini hanya dilakukan di Masjid Al-Haram.

Niat

- Memakai ihram dan melafazkan niat untuk mengerjakan umrah di tempat tertentu (miqat) di luar kawasan Haram
- Memasuki Masjid Al-Haram sambil membaca Talbiyah dan berdoa kepada Allah ﷻ
- Ketika pertama kali melihat Ka'bah, adalah afdhal untuk melafazkan Allahu Akbar dan Shahadah di samping memanjatkan puji-pujian ke atas Nabi Muhammad ﷺ

Tawaf

- Berjalan mengelilingi Ka'bah sebanyak tujuh kali, bermula di sudut Hajar Al-Aswad (batu hitam). Menyentuh atau cukup sekadar menunjuk ke arah Hajar Al-Aswad sebagai tanda permulaan tawaf
- Wudu' (mengambil air sembahyang) adalah amat penting untuk tawaf
- Bahu kiri jemaah harus menghala ke arah Ka'bah sewaktu berjalan lawan arah jam
- Jemaah lelaki harus mendedahkan bahu kanan mereka ketika tawaf, amalan yang dikenali

sebagai ittiba'

- Setelah melengkapkan pusingan ketujuh, solat sunat nafl dua rakaat ditunaikan di belakang Makam Ibrahim

Saie

- Berjalan di antara dua bukit iaitu Safa dan Marwah sebanyak tujuh kali
- Bermula di Safa, jemaah digalakkan memanjat bukit sehingga mereka dapat melihat Ka'bah. Selepas itu mereka disarankan supaya berdoa dan berzikir
- Pusingan ketujuh berakhir di Marwah

Tahallul dengan bercukur atau memotong rambut

- Bercukur atau memotong rambut seharusnya dilakukan sebaik sahaja selesai mengerjakan saei.
- Kaum lelaki digalakkan untuk mencukur kepala sepenuhnya, akan tetapi ia diharamkan bagi kaum wanita.
- Bagi wanita, menggunting sekurang-kurangnya tiga helai rambut sudah memadai
- Dengan ini, menandakan jemaah telah keluar dari ihram.

Tertib

- Umrah dianggap sempurna jika kesemua rukun di atas dilakukan dengan tertib

Haji

Seperti empat rukun Islam yang lain, ibadah haji merupakan rukun yang harus dilaksanakan dengan cara yang tertentu. Haji terbahagi kepada tiga jenis: Haji Ifrad, Haji Qiran dan Haji Tamattu'. Bentuk Haji yang paling afdhal ialah Hajj Tamattu', seperti yang dilaksanakan oleh Nabi Muhammad ﷺ . Rukun haji tidak dilakukan di Masjid Al-Haram sahaja tetapi turut dilakukan di tempat berikut: Mina,

Muzdalifah dan Arafah. Mina dan Muzdalifah terletak di dalam kawasan Haram manakala Arafah terletak di luar. Masa untuk memakai ihram dan melafazkan niat untuk mengerjakan haji bergantung kepada jenis haji yang dikerjakan. Berikut ialah penjelasan ringkas mengenai ibadah haji.

Hari 1
8hb Zulhijjah

- Persediaan untuk mengerjakan ibadah haji bermula
- Bagi menyediakan diri untuk ihram, jemaah digalakkan untuk menyikat rambut dengan rapi, memotong kuku, janggut dan misai
- Mengambil air sembahyang sebagai persediaan ihram
- Memakai dua kain putih yang tidak berjahit bagi kaum lelaki dan memakai telekung bagi kaum wanita. Lelaki tidak dibenarkan menutup kepala mereka di sepanjang tempoh ihram
- Mengerjakan solat sunat nafl dua rakaat untuk ihram
- Melafazkan niat haji
- Melafazkan talbiyah
- Dengan ini, jemaah telah berada dalam ihram dan terikat dengan larangan ihram.
- Selepas terbitnya matahari, jemaah berjalan menuju ke Mina. Jemaah menunaikan solat Zohor, Asar, Maghrib dan Isyak serta bermalam di Mina

Hari 2
9hb Zulhijjah

- Selepas solat Subuh, bergerak menuju ke Arafah untuk Wuquf, bermula dari gelincir matahari sehingga terbit matahari keesokan harinya
- Dalam waktu itu, jemaah digalakkan mem-

Perbanyakkan berdoa, membaca Al-Qur'an atau melakukan ibadah lain.

- Solat Zohor dan Asar di Masjid Namirah. Jemaah disyorkan supaya melakukan sembahyang jamak dan qasar.
- Mendengar khutbah Arafah
- Setelah matahari terbenam, destinasi seterusnya ialah Muzdalifah, di mana solat Maghrib dan Isyak dikerjakan
- Mengumpul 49 butir batu kecil jika berniat untuk melaksanakan ibadah melontar selama tiga hari ataupun 70 butir batu kecil untuk empat hari
- Bermalam semalaman
- Pulang ke Mina selepas solat Subuh

Hari 3
10hb Zulhijjah

- Melontar di Jamarat Al-Aqabah di Mina dengan tujuh biji batu kecil setiap satunya
- Ibadah korban; jemaah boleh melakukannya sendiri ataupun meminta orang lain untuk melaksanakan tugas ini bagi pihak mereka. Hari yang di-tentukan untuk ibadah korban ialah sehingga 13hb Zulhijjah
- Tahallul - mencukur atau memotong rambut. Wanita diharamkan untuk mencukur kepala sepenuhnya; guntingan tiga helai rambut sudah memadai. Dengan melakukan perkara ini, maka jemaah telah keluar daripada ihram
- Melontar jamrah, korban dan mencukur atau memotong rambut harus dilakukan secara berturut-turut, jika tidak, dam (denda) akan dikenakan
- Kembali ke Masjid Al-Haram untuk melakukan Tawaf Al-Ziarah dan saie
- Kembali ke Mina dann bermalam di sana

- Orang Islam di seluruh dunia menyambut Aidiladha pada hari ini

Hari 4
11hb Zulhijjah

- Melontar jamrah di Jamarat Al-Ula, Al-Wusta dan Al-Aqabah
- Bagi mereka yang tidak dapat mengerjakan Tawaf Al-Ziarah pada 10hb Zulhijjah, mereka dinasihatkan untuk mengerjakannya pada hari ini dan pulang ke Mina untuk bermalam semalaman

Hari 5 & 6
12hb & 13hb Zulhijjah

- Melontar ketiga-tiga Jamarat dengan tujuh biji batu kecil setiap satunya
- Peluang terakhir untuk Tawaf Al-Ziarah
- Jemaah mempunyai pilihan untuk meninggalkan Makkah, kecuali jika bertolak selepas maghrib, di mana mereka perlu tinggal di Mina untuk malam ketiga dan meneruskan melontar jamrah di Jamarat mengikut turutan yang sama
- Apabila jemaah berniat untuk pulang ke rumah atau menziarahi tempat-tempat lain, seperti Madinah, mereka wajib melakukan Tawaf Al-Wada' (Tawaf Selamat Tinggal)

Melawat Masjid Al-Nabawi di Madinah bukan merupakan sebahagian daripada upacara haji atau umrah. Namun, ia amat digalakkan. Seperti yang direkodkan oleh Al-Baihaqi, Nabi Muhammad ﷺ berkata: "Orang yang mengerjakan haji dan seterusnya menziarahi makamku diibaratkan telah melihatku semasa hayatku."

Panggilan Haji

Ibadah haji merupakan salah satu daripada rukun Islam. Tanggungjawab ke atas setiap orang Islam ini bersifat sejagat. Ia disyariatkan kepada semua umat Islam, yang terdiri daripada pelbagai etnik, bangsa dan kedudukan dalam masyarakat. Ia adalah perhimpunan manusia yang terbesar di atas muka bumi. Tanpa menghiraukan latarbelakang jemaah, seruan ke Makkah ialah panggilan haji ke Rumah Allah.

خليفة هارون الرشيد

Khalifah Harun Al-Rashid
Dinasti Abbasiyyah
763-809 M /146-193 AD

Biografi

Khalifah Harun Al-Rashid dari Dinasti Abbasiyyah telah dilahirkan di Rayy, Iran pada tahun 763 M / 146 H. Baginda merupakan putera kepada Khalifah Al-Mahdi dan bondanya Khayzuran, yang pernah menjadi hamba wanita di Yaman, yang kemudiannya telah dimerdekakan oleh Khalifah Al-Mahdi. Khayzuran telah memainkan peranan yang penting semasa pemerintahan suaminya dan juga puteranya, Khalifah Harun Al-Rashid. Khalifah Harun Al-Rashid telah dibesarkan di dalam istana dan berada di bawah pengawasan dan tunjuk ajar gurunya yang bernama Yahya Ibnu Khalid Barmakids. Barmakids merupakan golongan keluarga bangsawan Parsi yang memberi sokongan padu kepada kerajaan Dinasti Abbasiyyah. Harun Al-Rashid telah menaiki takhta sebagai khalifah pada tahun 786 M / 169 H selepas kemangkatan Khalifah Al-Hadi.

Perjalanan ke Makkah

Sewaktu Barmakids menguruskan hal ehwal pentadbiran, Khalifah Harun Al-Rashid telah menggunakan peluang itu untuk menunaikan ibadah haji pada musim panas selepas baginda menaiki takhta. Baginda pernah mengerjakan haji bersama ayahandanya pada tahun 777 M / 160 H, dan mengerjakan haji sebanyak lapan kali lagi sewaktu menjadi khalifah. Di antara peristiwa yang telah dicatatkan di dalam sejarah sewaktu baginda mengerjakan ibadah haji ialah pada tahun 802 M / 185 H iaitu sewaktu bersama dengan dua orang puteranya, Al-Amin dan Al-Ma'mun, dan pada tahun 805 M / 189 H ketika bersama permaisurinya, Zubayda.

Beramal

Khalifah Harun Al-Rashid telah membelanjakan sebahagian besar hartanya ke atas golongan fakir miskin di dua kota suci umat Islam, seperti yang dilakukan oleh ayahandanya. Contoh kemurahan hati Khalifah Harun Al-Rashid ialah ketika baginda mengunjungi Makkah pada tahun 802 M / 185 H di mana baginda telah mengagihkan wang dinar sebanyak setengah juta kepada penduduk kota Makkah dan Madinah. Seperti Khalifah Harun, permaisurinya, Zubayda, juga tidak kurang dengan sifat dermawannya. Permaisuri Zubayda yang telah menunaikan ibadah hajinya sebanyak lima atau enam kali termashyur dengan sifat belas kasihannya terhadap kebajikan jemaah haji. Semasa baginda pergi ke Makkah pada tahun 805 M / 189 H, Permaisuri Zubayda dan Khalifah Harun Al-Rashid telah menyaksikan kesan bencana banjir di Makkah lantas, terus menyumbang kepada usaha mendalamkan telaga Zamzam.

ناصر خسرو

Naser Khosraw
Iran
Ibadah Haji 1046 M / 437 H

Biografi

Naser Khosraw merupakan seorang penyair Parsi, ahli falsafah Isma'ili dan pengembara yang telah dilahirkan di daerah Qubadiyan, Iran pada tahun 1004 M / 394 H. Naser Khosraw atau nama sebenarnya Abu Mu'in Nasir Ibn Khusraw Ibn Harith Al-Qubadiyani yang berasal daripada keluarga golongan pegawai kerajaan dan tuan tanah. Beliau dikenali kerana catatan pengembaraannya bertajuk *Safarnama*. Pengalaman pengembaraannya selama tujuh tahun, dari tahun 1046 M / 437 H hingga 1052 M / 443 H memberikan gambaran yang lengkap tentang bandar Islam pada abad ke 11 M / 5 H. *Safarnama* juga merupakan titik perubahan kerohanian Naser Khosraw. Pada usia 42 tahun, beliau mengambil keputusan meninggalkan kehidupan bangsawan dan menuju ke Kaherah, bandar yang menawarkan peluang dan perlindungan kepadanya untuk menjadi seorang ulama' Isma'ili. Ketika dalam perjalanan menuju ke Kaherah, beliau telah melawat Makkah untuk menunaikan ibadah haji yang pertama.

Laluan Perjalanan

Naser Khosraw telah melawat Makkah sebanyak empat kali. Pengalaman hajinya yang pertama berlaku antara tahun 1046-1047 M / 437-438 H. Dengan ditemani seorang saudara lelaki serta seorang pembantu, beliau menyertai karavan tahunan yang bergerak melalui Nishapur, Tabriz, Aleppo, Baitul Maqdis dan seterusnya ke Makkah. Selepas mengerjakan haji, beliau telah berangkat ke Kaherah dan mengambil keputusan untuk menetap di sana selama tiga tahun. Beliau telah mengerjakan tiga lagi ibadah haji sewaktu menetap di Kaherah yang ketika itu berada di bawah pemerintahan Sultan kerajaan Fatimid, Al-Mustansir (1036 M / 427 H hingga 1094 M / 486 H).

Umrah dari kaca mata Naser Khosraw

Sewaktu Naser Khosraw menunaikan haji yang terakhir pada tahun 1050 M / 441 H, beliau telah menceritakan dengan panjang lebar mengenai tata cara pelaksanaan umrah pada waktu itu. Walaupun gambaran persekitaran Masjid Al-Haram yang diberikan berbeza dengan apa yang dilihat oleh pengunjung pada hari ini, catatan-catatan beliau telah menunjukkan bahawa pelaksanaan ibadah ini tidak pernah berubah sejak zaman para nabi:

"Bagi mereka yang datang dari tempat yang jauh untuk mengerjakan umrah, terdapat beberapa batu penanda jarak dan masjid yang didirikan pada jarak separuh parasang (unit ukuran lama Parsi yang bersamaan dengan 3.5 batu / 5.6

km) daripada Makkah, tempat di mana mereka mula memakai ihram. Memakai ihram bermaksud menanggalkan semua pakaian yang berjahit kemudian melilitkan sehelai kain yang tidak berjahit di sekeliling bahagian pinggang dan sehelai lagi di bahagian badan. Setelah siap, mereka melaungkan "Labayk Allahumma, labayk" sambil menghampiri Makkah. Bagi sesiapa yang sudah berada di dalam Makkah dan ingin mengerjakan 'umrah, dia perlu pergi ke salah sebuah pasar di luar Makkah, memakai ihramnya dan melaungkan Labayk, kemudian kembali semula ke dalam Makkah berserta niat melakukan umrah. Setibanya di kota ini, dia memasuki Masjid Al-Haram dan menghampiri Ka'bah dengan memastikan Ka'bah berada di sebelah kirinya. Kemudian menuju ke sudut di mana terletaknya Batu Hitam, cium, dan kembali mengelilingi Ka'bah semula. Setelah mencium Batu Hitam buat kali kedua, maka lengkaplah satu pusingan tawaf. Pusingan ini berterusan sehingga tujuh kali, tiga kali dilakukan dengan pantas dan empat kali dengan perlahan. Apabila selesai melakukan tawaf, kamu perlu pergi dan berdiri di belakang Makam Ibrahim yang bertentangan dengan Ka'bah. Di situ kamu tunaikan solat sunat tawaf dua rakaat. Selepas solat, pergi ke Telaga Zamzam untuk minum dan sapukan sedikit airnya ke muka, dan kemudian keluar dari Masjid Al-Haram melalui Pintu Safa. Berhampiran dengan pintu ini ialah kaki Bukit Safa, berulang alik dari selatan ke utara yang melalui kawasan pasar ke

Marwah. Dengan melintasi deretan Pasar, kamu melepasi Pintu Masjid Al-Haram, tempat di mana nabi telah berlari-lari anak dan mengarahkan pengikutnya untuk melakukan perkara yang sama. Jarak untuk berlari-lari anak ini ialah lebih kurang lima puluh langkah dan pada setiap penghujung terdapat dua buah menara. Apabila mereka yang datang dari Safa tiba pada menara yang pertama, mereka akan mula berlari-lari anak sehingga melintasi menara kedua di bahagian yang satu lagi. Kemudian mereka akan kembali berjalan menuju ke arah Marwah. Sebaik tiba ke penghujungnya mereka akan memanjat Marwah dan membaca doa yang telah ditetapkan. Selepas itu, mereka akan mengulangi setiap tata cara pelaksanaan sehingga lengkap empat pusingan dari Safa ke Marwah, dan tiga pusingan daripada Marwah ke Safa, yang kesemuanya berjumlah tujuh larian di sepanjang laluan Pasar. Setelah melengkapkan pusingan terakhir dan turun dari Marwah, kamu akan melihat kawasan Pasar yang mempunyai lebih kurang dua puluh buah kedai gunting rambut, yang berhadap-hadapan. Kamu boleh mencukur rambut dan dengan ini bermakna ibadah umrah kamu telah sempurna, maka keluarlah dari kawasan suci tersebut."

Selepas menunaikan hajinya yang terakhir, Naser Khosraw telah meneruskan perjalanannya ke Balkh. Beliau sampai di sana pada tahun 1052 M / 443 H, ini menandakan berakhirnya pengembaraan beliau. Selepas itu beliau telah mengabdikan dirinya dalam penulisan dan aktiviti dakwah. Tarikh sebenar beliau meninggal dunia adalah tidak diketahui, tetapi ia mungkin berlaku antara tahun 1072-1078 M / 464-470 H.

ابن جبير

Ibnu Jubayr
Granada, Sepanyol
Ibadah Haji 1183-1184 M / 578-579 H

Biografi

Ibnu Jubayr, atau nama sebenarnya Abu Al-Husayn Ibnu Jubayr telah dilahirkan di Granada, Sepanyol pada 1145 M / 539 H. Di samping berkhidmat sebagai seorang pegawai kepada gabenor Muslim di Granada, beliau juga merupakan seorang ilmuwan dan penyair. Reputasi yang dibinanya adalah melalui catatan pengembaraannya yang bermula pada 1189 M / 584 H bertajuk *"Pengembaraan Ibnu Jubayr"*. Gaya penulisan catatan pengembaraannya ke Jerusalem, Madinah, Makkah, Damsyik, Mosul, Acre dan Baghdad telah menjadi asas penulisan genre *rihla* yang muncul selepasnya. Catatan beliau yang bernada jujur hasil daripada pengamatannya yang jelas merekodkan perjalanannya ke Makkah pada 1183-1184 M / 578-579 H.

Laluan Perjalanan

Perjalanan beliau ke Makkah bukanlah sesuatu yang mudah bagi Ibnu Jubayr. Tentera salib dan puak perompak merupakan ancaman yang berterusan di padang pasir. Beliau bertolak dari Granada pada awal bulan Februari 1183 M / 578 H dengan bertemankan seorang ahli perubatan. Dari bandar Ceuta, Afrika Utara, beliau menaiki kapal Genoa yang berlayar ke Kaherah. Walaupun ketika itu Salah Al-Din Al-Ayubi berkuasa di Kaherah, perlindungan yang sepenuhnya tidak dapat diberikan ke kawasan yang jauh daripada ibu kotanya. Disebabkan oleh kehadiran tentera salib Reynald de Chatillon yang dilatih khusus untuk menyerang karavan haji, Ibnu Jubayr telah memilih untuk menyertai rombongan berunta menuju ke arah selatan di mana terletaknya pelabuhan Aydhab di Laut Merah. Pelabuhan ini yang terletak di Sudan pada hari ini memainkan peranan yang penting dalam aktiviti haji dan perdagangan ketika itu. Selepas menyeberangi Laut Merah menuju ke pelabuhan Jeddah dan menyelesaikan segala cukai yang ditetapkan, beliau akhirnya tiba di Makkah.

Makkah: Ciri-ciri Ka'bah

"Pada hari Sabtu, ketika perayaan hari korban, kiswah atau kain penutup Ka'bah, dibawa dengan menggunakan empat ekor unta ke Makkah dari khemah Amir Iraq. Hakim kota Makkah yang baru dilantik mendahului perarakan dengan memakai jubah berwarna hitam yang dianugerahkan oleh Khalifah. Perarakan ini didahului oleh angkatan panji-panji dan diikuti oleh paluan gendang...Kiswah diletakkan di atas bumbung Ka'bah, dan hanya pada hari Selasa tiga belas haribulan para petugas Ka'bah mula menjatuhkan kiswah yang menyelubungi Ka'bah. Warna hijau tuanya yang cantik mempersonakan setiap mata yang memandang. Lingkaran kain lebar berwarna merah di bahagian atas Ka'bah. Lingkaran kain merah ini yang terletak di bahagian pintu Ka'bah yang berhadapan dengan Makam Ibrahim tertulis perkataan Bismillah: "Sesungguhnya rumah yang mula-mula dibina untuk manusia beribadat ialah di Bekkah (Makkah)". Manakala nama Khalifah berserta dengan doa-doa yang berkaitan dengannya ditulis di bahagian yang lain. Di sepanjang permukaan lingkaran kain lebar ini pula terdapat dua kawasan kemerah-merahan dengan bentuk potongan wajik kecil berwarna putih yang mengandungi khat yang cantik terdiri daripada ayat Al-Qur'an dan ayat yang berkaitan dengan Khalifah. Apabila Ka'bah telah dilitupi sepenuhnya, kelim atau bahagian hujung kiswah yang dijahit digulungkan ke atas bagi mengelakkannya daripada dicapai dan dipaut dengan kuat oleh jemaah yang tidak dapat *mengawal perasaan mereka. Pada ketika ini, Rumah Allah kelihatan seolah-olah seorang Pengantin Perempuan yang sedang memakai baju sutera berwarna hijau yang sangat indah buatannya. Semoga Allah mengizinkan ianya di lihat oleh sesiapa sahaja yang mahu melihatnya..."*

منسى موسى

Mansa Musa
Kerajaan Mali
Ibadah Haji 1324 M / 724 H

Biografi

Istilah 'Mansa' ialah gelaran bagi pemerintah Mali ketika zaman pertengahan, yang boleh disama tarafkan dengan raja. Di antara yang terkemuka di dalam sejarah Mali ialah Mansa Musa, seorang pemerintah Islam yang memerintah dari tahun 1312 hingga 1337 M / 711-737 H. Kemashyuran yang diperolehinya adalah kerana baginda mengerjakan haji di Makkah pada tahun 1324 M / 724 H. Ibnu Battutah, pengembara utama dari Tangier ada menyebut tentang kewujudan pemerintah yang terkenal ini di dalam catatannya. Selain itu, terdapat imej Mansa Musa memegang sebingkah emas yang menunjukkan kekayaannya pada peta Eropah bertarikh 1375 M / 776 H.

Laluan Perjalanan

Mansa Musa dan rombongannya menggunakan laluan darat menyeberangi hulu Sungai Niger dari ibu kotanya di Niani, Mali. Dengan menunggang kuda, beliau mengepalai rombongannya ke Walata atau Oulata di Mauritania. Kemudian, mereka menuju ke Tuat Algeria, singgah di Kaherah sebelum menyambung semula perjalanan mereka ke Makkah.

Karavan baginda dilaporkan seperti harta yang bergerak milik kerajaan Mali sewaktu dalam perjalanan menuju ke Kaherah. Rombongan ini seolah-olah satu perarakan gilang gemilang yang diketuai oleh Mansa Musa yang menunggang kuda diiringi seramai lima ratus orang hamba yang membawa bersama mereka bungkusan emas dengan berat lebih kurang tiga puluh paun setiap satu. Al-Umari (1300-1384 M / 699-785 H), seorang sejarawan Arab yang berada di Kaherah selepas dua belas tahun lawatan Mansa Musa melaporkan bahawa Kaherah telah dimandikan dengan emas sehingga nilainya jatuh dan tidak berubah beberapa dekad kemudiannya. Keadaan ini adalah disebabkan oleh pengagihan emas oleh Mansa Musa kepada penduduk miskin di Kaherah.

Makkah: Pusat Pengajian Ilmu

Mansa Musa merupakan seorang penaung Islam yang agung di Mali. Sewaktu zaman pemerintahan baginda beberapa buah masjid dan madrasah telah dibina di merata tempat, yang paling terkenal ialah Masjid Djenné. Struktur binaan dari tanah liat ini – merupakan yang terbesar di dunia – masih berdiri kukuh di Timbuktu, Mali dan telah mendapat berbagai-bagai pengiktirafan termasuk dari UNESCO.

Binaan yang tersergam ini mungkin tidak wujud jika Mansa Musa tidak bertemu dengan Abu Ishaq Al-Sahili (1290-1346 M / 688-746 H) di kota suci Makkah. Abu Ishaq Al-Sahili, merupakan seorang ilmuwan dan penyair berbakat yang berhijrah dari tempat asalnya di Granada ke pusat pengajian Islam di Makkah dan kemudiannya merantau ke Mali. Di bawah pengawasan Mansa Musa, Masjid Djenné telah dibina oleh Abu Ishaq Al-Sahili yang telah menetap dan meninggal dunia kemudiannya di Mali. Ibnu Battutah ada merekodkan beliau telah menziarahi makam Al-Sahili di Timbuktu.

ابن بطوطة

Ibn Battutah
Tangier
Ibadah Haji 1326 M / 726 H

Biografi

Ibnu Battutah, atau nama sebenarnya Shams Al-Din Abu ‘Abdallah Ibn Battutah merupakan seorang pengembara Muslim yang termasyur bukan sahaja pada kurun ke empat belas, malahan di sepanjang zaman. Penduduk asal Tangier di Afrika Utara ini telah dilahirkan pada 1304 M / 724 H di dalam keluarga peguam. Pengembaraan

Ibnu Battutah meliputi kawasan seperti Tangier moden yang terletak di barat sehingga ke Beijing yang terletak di timur, Granada dan Ukraine di Eropah, Timbuktu di Afrika, Aswan di Sungai Nil hingga ke Kilwa yang terletak di pinggiran pantai Tanzania. Pengembaraan Ibnu Battutah kemudiannya telah dicatatkan oleh Ibnu Juzayy, seorang cendiakawan yang dilantik dan ditauliahkan bagi melaksanakan tanggungjawab ini oleh seorang pemerintah Dinasti Marinid, Abu Inan. *Rihla* yang dihasilkannya ini ditulis berdasarkan pengimlakkan oleh Ibnu Battutah sendiri, dan telah disiapkan pada tahun 1357 M / 758 H.

Laluan Perjalanan

Menurut buku Penjelajahan yang ditulisnya, Makkah Al-Mukarramah dan Madinah Al-Munawwarah merupakan destinasi utama Ibnu Battutah. Beliau mahu menyempurnakan ibadah hajinya dan keazaman Ibnu Battutah untuk sampai ke sana telah dinyatakannya di fasa awal catatan pengembaraannya:

"Aku meninggalkan kampung halamanku, Tangier, pada hari Khamis, 2 Rejab, 725 H (14 Jun 1325 M), di mana ketika itu aku berusia dua puluh dua tahun, dengan niat mahu menunaikan ibadah haji di Tanah Suci (Makkah) dan menziarahi Makam Nabi Muhammad ﷺ (di Madinah). Aku berangkat sendirian, tiada teman untuk berkongsi suka duka sepanjang perjalanan, juga tanpa kumpulan pengembara sebagai tempat bergantung. Aku kalah kepada desakan suara hati dan keinginan yang telah lama kupendamkan untuk menjejakkan kaki ke tempat suci itu dan aku bulatkan tekad untuk meninggalkan semua sahabat dan sendirian berjauhan dari kampung halamanku. Oleh kerana ibu bapaku masih hidup, terasa amat pedih untuk berjauhan dari mereka berdua, dan ini menyebabkan jiwa kami sarat menanggung kesedihan akibat dari perpisahan ini."

Ibnu Battutah bertolak sendirian menyusuri laluan pinggir pantai dengan menunggang unta dan kuda. Hanya setelah tiba di Libya, barulah Ibnu Battutah menyertai karavan jemaah haji yang sedang dalam perjalanan menuju ke Kota Suci melalui Mesir, Palestin dan Syria. Lapan bulan kemudian, beliau telah tiba di Makkah pada tahun 1326 M / 726 H.

Di dalam Kota Makkah

Makkah merupakan tempat yang begitu istimewa kepada Ibnu Battutah. Destinasi inilah yang telah mendorongnya untuk meneruskan pengembaraannya. Makkah menjadi pusat yang disinggahi Ibnu Battuta berulang kali sebelum menyambung pengembaraanya ke serata pelusuk dunia. L.P. Harvey, seorang felo di Pusat Pengajian Islam, Oxford, di dalam bukunya bertajuk *Ibn Battuta* telah menemui tiga sebab mengapa Makkah Al-Mukarramah sangat bermakna kepada Ibnu Battutah. Pertama, Makkah merupakan tempat beliau membina jaringan hubungan dengan para ilmuwan. Kedua, Makkah memberi beliau peluang memperbaiki penguasaan bahasa Parsi dan Turki, yang merupakan bahasa komunikasi dunia Islam yang penting ketika itu. Akhir sekali, Makkah juga merupakan tempat di mana Ibnu Battutah menimba pengalaman yang dapat mematangkan dirinya sebagai seorang pengembara. Sebab-sebab ini berkemungkinan telah menyumbang kepada kemesraan yang ditujukan kepada seisi kota ini:

"Penduduk Makkah dapat dikenali dengan pekerjaan dan prilaku mereka yang unggul dan terpuji, dengan sifat dermawan mereka kepada yang tidak berkemampuan dan lemah, serta sifat keihsanan mereka kepada orang asing. Apabila di antara mereka mengadakan majlis jamuan, mereka akan memulakan pemberian makanan kepada ahli agama yang miskin dan tidak mempunyai sumber pendapatan, dengan mendahulukan jemputan ke atas mereka dengan penuh keihsanan dan ketulusan hati. Kebanyakan daripada golongan miskin ini boleh di temui di tempat pembakaran roti awam. Apabila seseorang selesai membakar roti dan membawanya pulang ke kediaman mereka, golongan miskin ini akan mengekori si pembakar roti tadi dan setelah diberikan sedikit makanan, mereka akan pergi dengan rasa gembira. Walaupun si pembakar roti hanya mempunyai sebuku roti, satu pertiga atau setengah daripada roti ini akan diberikannya dengan ikhlas tanpa rasa ralat. Satu lagi kebiasaan penduduk Makkah ialah berkenaan dengan dua biji bakul, satu besar dan satu kecil. Apabila seorang lelaki dari bandar datang ke pasar dan membeli bijirin, daging dan sayur-sayuran, beliau akan mengamanahkan barangan yang dibeli kepada budak lelaki golongan miskin ini. Budak ini kemudiannya akan meletakkan bijirin di dalam sebiji bakul manakala daging dan sayur-sayuran di dalam bakul yang lain. Selepas itu, bakul tersebut akan dihantar ke rumah pembeli tadi untuk dimasak. Dalam masa yang sama, lelaki tadi boleh pergi beribadah atau menguruskan urusannya. Tidak pernah ada kejadian di mana budak lelaki yang diamanahkan dengan sesuatu barangan dapur tidak menjalankan tugasnya, dan mereka dibayar untuk kerja yang mereka lakukan. Penduduk Makkah juga berpakaian anggun dan bersih, di mana kebanyakannya memakai pakaian berwarna putih, yang kelihatan putih bersih seperti salji. Mereka banyak menggunakan minyak wangi dan celak serta sering bersugi dengan kayu arak berwarna hijau. Kaum wanita Makkah pula sangat cantik, warak dan beradab. Mereka juga banyak menggunakan minyak wangi sehingga pada satu tahap mereka sanggup mengikat perut semalaman semata-mata untuk membeli minyak wangi. Sewaktu mengunjungi masjid pada malam Jumaat, mereka mengenakan pakaian mereka yang paling indah; dan seluruh kawasan akan berbau semerbak harum kerana minyak wangi mereka. Apabila seseorang wanita berlalu keharuman minyak wangi yang dipakai masih ada ditempat tersebut."

144

Pengembaraan Ibnu Battutah selama 20 tahun ke Timur hampir meliputi seluruh kawasan dunia yang diketahui (pada waktu itu) dan akhirnya membawa beliau kembali ke tempat lahirnya. Beliau telah meninggal dunia di Morokko, Afrika Utara di antara tahun 1368-1377 M / 769-779 H.

لقَسامان جيغ هي

Laksamana Zheng He
China
Ibadah Haji 1431-1433 M / 834-836 H

Biografi

Laksamana Zheng He (1371-1433 M / 772-836 H) melambangkan generasi keagungan kuasa laut bagi empayar China. Berkhidmat di bawah maharaja yang berlainan di zaman Dinasti Ming, Zheng He adalah seorang penjelajah, diplomat dan juga laksamana angkatan laut yang mengetuai tujuh misi diplomatik negaranya daripada tahun 1405-1433 M / 807-836 H. Zheng He telah dilahirkan di daerah Yunnan pada 1371 M / 772 H dan dibesarkan di dalam sebuah keluarga bangsawan Islam. 'Zheng He' ialah gelaran penghormatan yang dianugerahkan oleh maharaja Yongle di atas khidmatnya kepada pihak istana. 'Ma' ialah nama keluarga Islam. Ayah Zheng He yang dikenali sebagai Haji Ma telah menceritakan pengembaraannya yang menakjubkan ketika dalam perjalanan ke Makkah. Dalam pelayarannya yang ke tujuh dan yang terakhir (1432-1433 M / 835 -836 H), akhirnya Zheng He telah sampai ke Tanah Suci.

Laluan Perjalanan

Pelayaran ke tujuh Laksamana Zheng He melibatkan kawasan yang luas, meliputi Kepulauan Melayu hingga ke Mogadishu di Afrika. Beliau telah tiba di Champa pada 24 Disember 1431 M / 14 Rabi'ul Akhir 835 H selepas berlayar dari Taiping yang terletak di daerah Fujian. Pelayaran seterusnya selama dua puluh lima hari telah membawa Zheng He ke Jawa. Pada 16 Jun 1432 M / 17 Syawal 835 H, beliau telah belayar meninggalkan Jawa dan menuju ke Palembang, dan kemudian tiba di Melaka pada 8 Ogos 1432 M / 11 Zulhijjah 835 H. Selain Melaka, Zheng He turut singgah di Sumatera, Ceylon, Maldives dan Hormuz. Selepas melintasi Cochin, Zheng He dan angkatan lautnya telah mendarat di Calicut, India. Tiga bulan selepas itu, sekumpulan kecil daripada angkatan laut Zheng He telah tiba di pelabuhan Jeddah. Kumpulan ini dikatakan telah berjalan kaki ke Makkah.

Pelayaran ke Tujuh

Pelayaran ke tujuh Zheng He merupakan yang terakhir baginya. Para cendiakawan dan sejarawan berbeza pendapat samada Zheng He telah menunaikan ibadah haji atau pun tidak. Ma Huan telah merekodkan bahawa Hong Boa, pembantu Zheng He, bersama-sama dengan enam orang yang lain telah mengambil masa selama setahun untuk sampai ke Tanah Suci Makkah. Pendapat lain pula mengatakan bahawa ketika angkatan laut Zheng He berada di Calicut, Zheng He telah berjumpa dengan utusan dari Makkah dan beliau telah mengutuskan seorang juru bahasa bersama utusan tersebut kembali ke tanah Arab.

Sewaktu dalam perjalanan pulang dari Makkah, Zheng He dilaporkan telah meninggal dunia kerana diserang penyakit. Kapal-kapalnya dipenuhi dengan pelbagai barangan yang luar biasa dan pelbagai haiwan yang jarang ditemui. Jenazah Laksamana Zheng He tidak dibawa pulang ke kampung halamannya. Mengikut tradisi pelayaran, jasad beliau disemadikan di dalam laut.

'Anak Muda Yang Bercita-cita Tinggi'

Epitaf nenek moyang Ma, juga dikenali sebagai Batu Bersurat Haji Ma merupakan sebuah artifak yang paling penting bagi menunjukkan latarbelakang salasilah Zheng He. Artifak ini yang didirikan di kampung halamannya di Kunyang, Yunnan menceritakan tentang kehidupan Zheng He ketika muda. Dibina pada tahun 1405 M / 808 H oleh Li Zhigong, Menteri Upacara Dinasti Ming, batu bersurat ini telah menyatakan bahawa: "Zheng He ialah seorang yang bercita-cita tinggi semenjak dia masih muda". Ayahnya, yang meninggal dunia pada 1344 M / 745 H ketika berusia tiga puluh sembilan tahun menggambarkan Zheng He sebagai seorang yang cerdik dan memiliki daya ingatan yang baik. Anak lelakinya begitu menggemari karya klasik dan juga seni mempertahankan diri. Sifat ingin tahu yang dimilikinya sememangnya menunjukkan kematangan. Zheng He kerap mengajukan pertanyaan kepada ayah dan datuknya berkenaan dengan pengalaman dan cabaran yang mereka alami semasa menunaikan ibadah haji. Kemungkinan inilah yang menyebabkan keinginannya untuk ke Makkah sangat kuat.

لودۏيکو دۏرتيما

Ludovico Di Varthema
Bologna, Itali
Menuju ke Makkah 1503 M / 908 H

Biografi

Ludovico di Varthema (1470-1517 M / 874-922 H) yang berasal dari Bologna, Itali dipercayai telah mengembara ke serata dunia pada sekitar abad ke 16 M / abad ke 10 H. Kembaranya selama tujuh tahun ke Timur Tengah, India, Burma, Malaya, Siam dan Indonesia di antara tahun 1502-1508 M / 907-913 H telah dicatatkan di dalam bukunya yang terkenal bertajuk *Itinerario*. Catatannya berkaitan Makkah dan ibadah haji orang Islam merupakan antara yang terawal dilakukan di kalangan bangsa Eropah. Walaupun status dirinya sebagai seorang Muslim masih menjadi persoalan, kelicikannya membolehkan beliau berjaya menyertai angkatan tentera Mamluk yang bertanggungjawab mengiringi karavan haji ke Tanah Suci Makkah pada tahun 1503 M / 908 H. Semasa dalam perjalanan ke Makkah dari Damsyik, beliau telah merekodkan halangan-halangan yang terpaksa ditempuhi oleh jemaah haji di tengah padang pasir demi untuk melengkapkan rukun Islam.

Perjalanan ke Makkah

Varthema memasuki Makkah sebagai salah seorang daripada askar upahan yang ditugaskan untuk memastikan keselamatan para jemaah haji. Karavan di bawah jagaannya bertolak dari tempat yang dipanggilnya 'Mezeribe', berkemungkinan Jubb Al-Mazarib yang terletak di Syria pada hari ini. Keberangkatannya telah dinyatakan di dalam catatannya *Itinerario*:

"Pada 11 April, karavan ini telah bertolak daripada Mezeribe; di sini terdapat 35, 000 ekor unta, dengan lebih kurang 40,000 orang jemaah, dan kami, askar Mamluk seramai enam puluh orang bertugas mengawalnya. Satu pertiga daripada jumlah askar Mamluk ini mendahului karavan di hadapan seperti yang biasa dilakukan, satu pertiga lagi berada di bahagian tengah, dan satu pertiga yang lainnya pula berbaris di belakang sekali. Kamu mesti faham kenapa perjalanan ini disusun sebegini."

Varthema juga telah menggambarkan bahawa perjalanan ini amat panjang dan sukar. Terdapat beberapa peraturan yang mesti dipatuhi agar perjalanan yang sukar ini bergerak lancar:

"Perjalanan dari Damsyik ke Makkah mengambil masa selama empat puluh hari dan empat puluh malam; oleh itu, kami telah bertolak daripada Mezeribe pada waktu pagi dan berjalan selama dua puluh jam. Kadangkala, isyarat tertentu daripada kapten supaya berhenti berehat disampaikan dari satu kumpulan kepada kumpulan yang lain. Pada waktu itu mereka akan mengambil masa selama dua puluh empat jam untuk memunggah turun barang, mengisi perut mereka dan memberi makan kepada unta-unta. Kemudian setelah mendapat isyarat untuk bertolak, barang-barang dinaikkan semula ke atas unta. Untuk pengetahuan kamu, unta-unta ini hanya diberi makan sebanyak lima buku roti barli mentah, yang saiz setiap satunya adalah sebesar buah delima. Kemudian mereka akan kembali menunggang kuda dan meneruskan perjalanan sepanjang malam dan sepanjang hari esoknya selama dua puluh dua jam, sebelum kembali berehat selama dua puluh empat jam. Selepas lapan hari, mereka akan cuba untuk mendapatkan air dengan menggali tanah ataupun pasir, adakalanya mereka menemui beberapa buah perigi dan kawasan wadi. Di sini mereka akan berehat selama satu atau dua hari kerana unta-unta mereka yang membawa bebanan seberat lebih kurang dua ekor baghal hanya diberikan minuman tiga hari sekali".

Salah satu daripada halangan besar yang ditakuti oleh jemaah haji ialah ancaman penyamun yang berterusan. Di dalam catatan Varthema, beliau menceritakan bagaimana karavannya berjaya mengatasi penyamun nomad ini selepas berlakunya pertelingkahan mengenai sumber air. Kumpulan yang sentiasa mencari mangsa ini digambarkan beliau sebagai:

> "Kumpulan ini mendiami kawasan pergunungan dan akan turun ke bawah sewaktu karavan haji melalui kawasan itu untuk ke Makkah. Untuk menunggu di jalan tersebut dengan niat untuk menyamun karavan haji, mereka membawa bersama isteri, anak dan semua perabot serta rumah mereka, menggunakan unta. Rumah mereka kelihatan seperti khemah tentera dengan kain bulu berwarna hitam yang menyedihkan."

Di dalam *Itinerario*, Varthema telah mencatatkan keadaan Makkah dengan terperinci. Ini termasuklah Masjid Al-Haram, amalan ibadah haji orang Islam, manusia di dalam Kota Makkah dan beberapa perkara yang lain. Di sebalik ketepatan catatan ini, Varthema telah menimbulkan kontroversi dengan catatannya yang menceritakan penemuan beliau dengan makhluk dalam cerita dogeng seperti unikorn (kuda bertanduk satu) di Makkah. Selain itu, keadaan hiruk-pikuk manusia yang datang dari pelbagai penjuru dunia ketika musim haji, terutamanya di pelabuhan Jeddah juga turut digambarkan di dalam catatannya:

> "Terdapat sebuah pelabuhan yang di panggil Zida (Jeddah), di mana jaraknya dari kota (Makkah) adalah sejauh empat puluh batu. Sejumlah besar makanan yang sampai ke pelabuhan ini datang dari kawasan Tanah Arab yang subur, dan kebanyakan daripada jumlah makanan ini datangnya dari Ethiopia.

Kami menemui sejumlah besar jemaah haji, yang sebahagiannya datang sama ada dari Ethiopia, India Major, India Minor, Parsi dan Syria. Sebenarnya aku tidak pernah melihat sebegitu ramai manusia berkumpul di satu tempat seperti yang aku lihat selama dua puluh hari aku berada di sana. Di kalangan manusia ini, sebahagian daripadanya datang ke sini atas urusan perdagangan, manakala sebahagian yang lainnya pula kerana menunaikan haji....

سيکندر بيکنوم بوڤل

Duli Yang Teramat Mulia Sikandar, Begum Daripada Bhopal
India
Ibadah Haji 1864 M / 1280 H

Biografi

Bhopal, sebuah kerajaan Islam yang wujud sebelum kemerdekaan India. Ia diperintah oleh empat orang pemerintah wanita di antara tahun 1819 M / 1234 H dan 1926 M / 1344 H. Kaikhusrau Jahan Begum, pemerintah wanita terakhir kerajaan Bhopal telah menyambung pemerintahan wanita yang terdahulu, yang bermula dengan ibunya, Shah Jehan. Shah Jehan merupakan satu-satunya anak perempuan Sikandar yang sebelum itu telah menggantikan ibunya dan memegang tampuk pemerintahan Bhopal sebagai pemangku raja. Pengalaman perjalanan Nawab Sikandar Begum menunaikan haji ke Makkah pada tahun 1864 M / 1280 H diakui sebagai catatan haji yang pertama direkodkan oleh pemangku raja.

Laluan Perjalanan

Sebahagian daripada masalah yang dihadapi oleh Begum adalah disebabkan oleh individu yang cuba mengambil kesempatan di atas kekayaan yang dimiliki baginda. Beberapa harta baginda telah dicuri ketika berada di pelabuhan Jeddah, dan juga ketika karavan untanya di dalam perjalanan merentasi padang pasir. Sikandar Begum memulakan pelayaran ke Makkah pada akhir 1863 M / 1279 H bersama-sama dengan ibunya Qudsia Begum, bapa saudara dan ratusan pengiringnya. Begum tiba di pelabuhan Jeddah pada bulan Januari 1864 M / 1280 H dan menetap di sana selama satu minggu. Kemudian baginda mengarahkan orang suruhannya, Abd Al-Rahim untuk mengupah karavan unta untuk perjalanan ke Makkah. Sikandar Begum memperincikan ibadah haji yang dilakukan di sana:

> "sewaktu beta tiba di kota Makkah, kedengaran suara azan berkumandang dari beberapa buah masjid yang menandakan masuknya waktu Isyak. Beta masuk ke kawasan haram melalui Pintu as-Salam, dan setelah sampai di Makam Ibrahim, beta berdiri dan mengerjakan solat seperti yang telah ditetapkan. Selepas itu, beta mengerjakan tawaf selamat datang, dan mengerjakan saie di Safa dan Marwah."

Walau bagaimanapun, atas sebab keselamatan Begum telah mengambil keputusan untuk tidak meneruskan perjalanan ke Madinah selepas berunding dengan ahli keluarganya yang lebih tua.

Pengawal Peribadi dan Purdah

Sikandar Begum merasa tidak selesa menunaikan ibadah haji kerana baginda menerima perhatian yang keterlaluan daripada orang ramai. Dalam salah satu daripada catatannya baginda menceritakan bagaimana dirinya telah dikerumuni oleh golongan fakir miskin ketika melakukan tawaf. Masalah ini hanya dapat diselesaikan setelah pemohonan beliau kepada Sharif Makkah bagi mendapatkan empat orang pengawal peribadi untuk mengawal baginda ketika tawaf diluluskan. Selain daripada itu, sebagai langkah berjaga-jaga, Begum juga memutuskan untuk memakai purdah bagi menggelakkan dirinya daripada dikenali:

"Menjadi kebiasaan bagi wanita dalam rombongan beta untuk memakai purdah Turki apabila keluar untuk menunaikan tawaf dan melakukan aktiviti lain. Para penduduk Makkah kerap bertanyakan soalan kepada pengiring beta, 'Yang mana satukah antara wanita itu merupakan Sikandar Begum daripada Bhopal?'. Sebahagian daripada pengiring beta pula begitu dungu kerana mendedahkan siapa beta. Bagi mengelakkan perkara sedemikian berulang, beta telah memerintahkan kepada semua ahli rombongan beta agar tidak sekali-kali cuba membongkar identiti beta, sama ada kepada mereka yang tinggal di dalam satu bangunan ataupun kepada sesiapa sahaja, sama ada penduduk Makkah atau pun orang asing, jika mereka ingin terus berkhidmat untuk beta".

محمد أسد

Muhammad Asad
Galicia, Sepanyol
Ibadah Haji 1927 M / 1345 H

Biografi

Muhammad Asad telah dilahirkan pada 2 Julai 1900 M / 4 Rabiul Awal 1318 H di kawasan timur Galicia. Beliau dikenali dengan nama Leopold Weiss sebelum memeluk Islam dan mempunyai kerjaya yang hebat sepanjang hidupnya. Pada tahun 1926 M / 1344 H, setelah menempa nama sebagai seorang wartawan yang terkenal di Eropah, beliau telah membuat keputusan untuk pulang ke Jerman. Dalam tahun yang sama, ketika usianya 26 tahun, beliau telah berkahwin dengan seorang pelukis Jerman dan memeluk agama Islam. Setelah isterinya, Elsa, juga memeluk Islam beberapa minggu selepas Muhammad Asad, mereka telah memutuskan untuk menunaikan tanggungjawab mereka sebagai orang Islam dengan menuju ke Makkah bagi menunaikan ibadah haji mereka yang pertama.

Laluan Perjalanan

Timur Tengah bukanlah kawasan yang asing bagi Muhammad Asad. Pengalamannya sebagai wartawan luar negeri bagi akhbar *Frankfurter Zeitung* membawa beliau ke Iran, Kabul, Damsyik dan Isfahan. Walaupun begitu, perjalanan ke Makkah adalah pengalaman yang baru baginya. Antaranya ialah dari segi kesukaran, seperti yang telah digambarkan oleh Muhammad Asad di dalam catatannya yang bertajuk *Jalan ke Makkah*. Kapal yang berlepas dari Mesir ke Jeddah digambarkan dengan keadaan jemaah haji yang berasak-asak di atas kapal, disertai dengan laungan "*Labayk, Allahumma, Labayk...*" yang bersahut-sahutan. Jemaah haji dari Mesir dan Afrika Utara "memenuhi setiap ruang dan sudut dalam keadaan berhimpit-himpit."

Makkah: 'Tanpa Sempadan'

Muhammad Asad telah dipandu oleh mutawifnya memasuki kawasan Masjid Al-Haram. Di dalam perjalanan mereka menuju ke masjid, beliau telah mencatatkan tentang suasana Makkah dengan jalan pasar yang hingar-bingar. Selain itu, beliau turut menceritakan tentang kepelbagaian orang dan bangsa yang bertebaran di sekitar kota semasa musim Haji:

"Sekali lagi, manusia daripada pelbagai bangsa, pakaian dan pertuturan berkumpul, ada yang berserban dan ada yang tidak; ada yang berjalan perlahan sambil menundukkan kepala, dengan tasbih ditangan, dan ada yang berlari di celah-celah kesesakan manusia; orang Somali yang lemah gemalai dan berkulit coklat, bersinar bagaikan perak daripada lipatan pakaian mereka yang seperti toga; orang Arab dari kawasan tanah tinggi pedalaman, dengan badan yang kurus, muka yang kecil, berperawakan angkuh; orang Uzbeg dari Bukhara, beranggota badan yang kuat dan gempal, masih memakai kaftan berkulit dan kasut but kulit yang tinggi sampai ke lutut walaupun dalam cuaca Makkah yang panas; gadis Jawa yang memakai hijab daripada sarong dengan muka yang tidak ditutup dan mata yang bujur; orang

Maghribi dengan langkah perlahan dan perwatakan yang menimbulkan rasa hormat dengan pakaian burnuses mereka yang berwarna putih; orang Makkah bertunik dan berketayap putih; golongan petani Mesir dengan wajah yang teruja, orang India dengan hijab berwarna putih dan mata berwarna hitam, serban seputih salji, dan kaum wanitanya pula sukar dilihat kerana diselubungi burqa putih yang kelihatan seperti khemah bergerak ketika mereka berjalan; orang Negro Fullata yang berbadan besar dari Timbuktu atau Dahomey memakai jubah biru nila dan berkopiah merah; wanita Cina yang kecil molek, seumpama sulaman rama-rama, adakalanya berlari-lari anak, kaki mereka yang dibalut menyerupai kuku gazel. Jeritan, keriuhan orang ramai dari segenap penjuru, menyebabkan kamu berasa seolah-olah berada di tengah gelombang yang terputus-putus di mana kamu hanya boleh menangkap beberapa perkataan sahaja tetapi tidak keseluruhan cerita. Semuanya dialunkan dalam keriuhan berbagai-bagai bahasa, pergerakan yang pantas, dan keterujaan — tiba-tiba kami tersedar kami telah berada di hadapan salah satu pintu gerbang Masjid Al-Haram.

Sisa kehidupan Muhammad Asad sebagai seorang Islam selepas itu tidak kurang menariknya; diwarnai dengan suka dan duka. Isterinya, Elsa, meninggal dunia dan meninggalkan seorang anak lelaki bernama Ahmad di bawah penjagaan Muhammad Asad. Ahmad, ada kalanya menemani Muhammad Asad mengembara di Tanah Arab. Muhammad Asad juga mempunyai pengalaman berkerjasama dengan seorang ahli falsafah Pakistan, Muhammad Iqbal di dalam usaha membentuk asas-asas negara Pakistan. Bersama dengan isteri baru yang dinikahinya pada 1952 M / 1371 H, Pola Asad, beliau telah menulis dan menerbitkan banyak hasil penulisan yang berkaitan dengan Islam. Muhammad Asad telah meninggal dunia pada 1992 M / 1412 H dan telah dikebumikan di sebuah tanah perkuburan Islam yang terletak di Granada, Sepanyol.

لادي ايفيلين كوبلد

Lady Evelyn Cobbold
Britain
Ibadah Haji 1933 M / 1352 H

Biografi

Lady Evelyn Zainab Murray Cobbold (1867-1963 M / 1283-1382 H) ialah wanita Eropah pertama yang telah merekodkan pengalamannya ketika mengerjakan ibadah haji. Beliau merupakan anak perempuan sulung Earl Dunmore, yang dipercayai telah memeluk agama Islam semenjak kecil. Pemergiannya ke Makkah telah mendapat keizinan daripada Raja Abdul Aziz Ibnu Saud dan beliau juga menjadi tetamu khas kepada Harry St John Philby, seorang penjelajah Britain yang terkenal dengan keberaniannya. Philby, yang telah memeluk Islam, mengerjakan haji pada tahun 1931 M / 1349 H. Sewaktu berumur 66 tahun, Lady Evelyn telah memulakan perjalanannya secara bersendirian ke Makkah dengan menaiki kapal laut yang bertolak dari Kaherah ke Pelabuhan Jeddah.

Perjalanan ke Makkah

Apabila tiba di Jeddah, Lady Evelyn dijaga oleh Harry St John Philby, yang mempunyai hak istimewa sebagai penasihat British kepada Sultan Abdul Aziz Ibn Saud. Oleh kerana Lady Evelyn belum mendapat kebenaran memasuki kota suci Makkah, beliau telah mengisi masa lapangnya dengan bersiar-siar di kawasan sekitar dan merekodkan pengalamannya. Antara yang menarik perhatian beliau ialah pergerakkan jemaah haji yang menuju ke Makkah. Ketika di Jeddah, pada tanggal 28 Februari 1933 M / 3 Zulkaedah 1351 H, beliau menulis:

" Kami melepasi jemaah yang dalam perjalanan mereka ke Kota Suci, ada yang menaiki kenderaan berenjin, ada yang terhoyong-hayang di atas unta-unta, dan mereka yang miskin hanya berjalan kaki. Golongan lelaki telah siap memakai ihram tanpa penutup kepala. Golongan wanita yang menuju ke Madinah berpakaian hitam, manakala yang menuju ke Makkah pula berpakaian haji berwarna putih. Sesetengah jemaah haji yang *miskin dari negara yang jauh mengambil masa yang lama untuk sampai. Tuan rumahku menceritakan pada suatu hari sewaktu beliau sedang memandu di atas jalan Madinah, beliau terpandang sepasang suami isteri dan seorang budak lelaki yang sedang menapak dengan tidak bermaya di atas pasir yang panas, dengan menjunjung dan memikul bungkusan barangan mereka. Beliau telah memberhentikan kenderaannya dan mempelawa mereka untuk tumpang kerana beliau juga menuju ke arah yang sama. Apa yang mengejutkan beliau ialah sewaktu mereka dengan gembiranya meletakkan bungkusan mereka ke dalam kereta terdapat tiga orang bayi di dalamnya. Mereka dilahirkan sewaktu keluarga tersebut di dalam perjalanan mencapai impian mengerjakan ibadah haji."*

Pada 12 Mac 1933 / 15 Zulkaedah 1351, Raja Ibnu Saud telah membenarkan Lady Evelyn untuk memasuki Makkah. Oleh kerana musim haji hanya akan bermula pada 4 April, beliau telah mengambil keputusan untuk melawat Madinah terlebih dahulu. Beliau menerangkan tentang denai yang beliau lalui seperti berikut:

"Jalan ini ditandakan dengan tulang-belulang unta berwarna putih yang berselerakan di sepanjang denai yang dilalui ribuan jemaah sejak berabad yang lalu. Tiada benda hidup yang kelihatan, kecuali pada waktu ini terdapat beberapa burung grouse dan hanya sekali kelihatan burung flamingo terbang sekawan."

Di dalam perjalanannya, Lady Evelyn ditemani oleh Sulayman, pemandu berbangsa Arab; Mustafa Nazir, penunjuk jalan dan pembantu yang dipinjamkan oleh Philby; serta seorang lagi berbangsa Sudan. Seperti yang dicatatkan beliau, mereka menggunakan sebuah kereta 'Ford kecil' yang mengambil masa 15 jam untuk perjalanan dari Jeddah ke Madinah – jarak 250 batu. Beliau merekodkan pengalamannya mengerjakan haji sambil mengembara:

"Sepuluh hari ialah masa yang diambil oleh unta untuk menamatkan perjalanan antara Madinah dan Jeddah, tiga minggu bagi pejalan kaki, yang bergerak pada waktu malam, berehat ketika waktu panas di siang hari di kebanyakan karavansarai, di mana mereka boleh mengisi bekalan makanan, air, kopi, dan tempat untuk melelapkan mata. Ada kalanya kami melihat bas yang sarat dengan jemaah berserta muatan beg yang diikat kemas, serta perkakasan memasak yang bergantungan pada bas dan semestinya menyebabkan bunyi bising dan berkeletak-keletuk ketika bas melalui jalan yang lekuk-lekak."

Di penghujung bulan Mac 1933 / Zulkaedah 1351, Lady Evelyn akhirnya telah memasuki kota Makkah dan dapat menyempurnakan ibadah haji dengan melaksanakan segala rukun dan menuruti syarat pemakaian yang ditetapkan: "…bagi mengerjakan ibadah haji di Makkah, aku berpakaian serba putih, tiada pakaian berwarna lain yang dibenarkan."

مالكوم "X"

Malcom X
Amerika Syarikat
Ibadah Haji 1964 M / 1383 H

Biografi
Malcolm X merupakan antara individu keturunan Afrika-Amerika yang paling

berpengaruh di dalam sejarah moden. Namanya ialah Malcolm Little dan beliau telah dilahirkan di Omaha, Nebraska pada tahun 1925 M / 1343 H. Nama Islamnya selepas menunaikan ibadah haji pada tahun 1964 M / 1383 H ialah El-Hajj Malik El-Shabazz. Setahun selepas itu, Malcolm X telah dibunuh ketika menyampaikan ucapannya di Manhattan Audubon Ballroom.

Sejak kecil lagi hidup beliau telah mula bergolak, dengan kekerapan bertukar rumah perlindungan keluarga angkat. Beliau juga terjebak dalam kancah jenayah di Boston dan New York, pernah ditahan kerana kes rompakan dan dimasukkan ke Penjara Negeri Massachusetts pada tahun 1945 M / 1364 H. Ketika di dalam penjara, beliau telah menjadi ahli *Nation of Islam*, pergerakan yang membina semangat jatidiri masyarakat kulit hitam Amerika khususnya, dan masyarakat kulit hitam lain amnya. Selepas keluar dari penjara pada tahun 1952 M / 1371 H, beliau telah mengunjungi Elijah Muhammad, ketua pergerakan *Nation of Islam* di Chicago. Mereka berdua menjadi sahabat karib.

Ketika berada di dalam *Nation of Islam*, Malcolm X telah memainkan peranan yang penting sebagai salah seorang pemimpin dan jurucakap pergerakan ini. Beliau menyebarluaskan tentang hak masyarakat kulit hitam Amerika dan membantah diskriminasi kaum, terutamanya daripada sikap ketuanan kulit putih. Bakat semula jadinya sebagai seorang yang petah berpidato telah menjadikan dirinya mashyur lantas berjaya menarik lebih ramai keahlian baru bagi *Nation of Islam*. Oleh kerana terdapat percanggahan pendapat dan kepentingan di antara dirinya dengan Elijah Muhammad, Malcolm X telah mengumumkan penarikkan dirinya daripada menjadi ahli *Nation of Islam* pada tahun 1964 M / 1383 H. Pada tahun yang sama, beliau juga telah mengambil keputusan untuk menunaikan ibadah haji.

Laluan Perjalanan

Sebagai seorang warganegara Amerika yang hendak menunaikan haji, situasi Malcolm X jarang sekali berlaku pada waktu itu. Kehadirannya telah menarik perhatian banyak pihak. Namun begitu, seperti yang telah dinyatakan di dalam autobiografinya, beliau sama sekali tidak merasakan sebarang diskriminasi ditujukan kepadanya; malahan beliau telah disambut dengan penuh kemesraan oleh saudara-saudara seislamnya di sepanjang perjalanan beliau mengerjakan haji. Beliau pernah dipelawa untuk duduk bersama juruterbang di dalam kokpit pesawat ketika di dalam penerbangan menuju ke Jeddah.

Disebabkan beliau tidak boleh berbahasa Arab, ditambah pula dengan pasport Amerika Syarikat yang dipegangnya, beliau telah terkandas selama 20 jam di dalam lapangan terbang Jeddah walaupun telah lengkap berpakaian ihram. Pihak berkuasa Arab Saudi telah menguatkuasakan peraturan yang cukup ketat bagi memastikan orang bukan Islam tidak terlepas masuk ke dalam Makkah. Situasi Malcolm X pada ketika itu telah mendatangkan keraguan pihak berkuasa. Di sepanjang masa selama 20 jam tersebut, seperti yang diceritakan di dalam autobiografi yang dihasilkannya dengan bantuan Alex Haley, ia telah memberikannya peluang untuk mendalami pemahamannya tentang Islam. Di dalam sebuah bilik seakan-akan asrama, beliau telah ditempatkan buat sementara waktu bersama-sama dengan orang Islam lain yang datang dari negara yang berbeza, Malcolm X telah mempelajari cara yang betul menunaikan solat, dan di sini jugalah beliau mula merasai semangat ummah (persaudaraan Islam).

Akhirnya, *Hajj Committee Court* telah mengesahkan bahawa Malcolm X sebagai seorang Islam dari Amerika. Beliau kemudiannya telah menerima undangan khas daripada Putera Faysal.

Persaudaraan Mengatasi Perkauman
Sewaktu pertemuannya dengan Putera Faysal, Malcolm X telah ditanya mengenai tujuannya menunaikan ibadah haji. Jawab beliau: " Seperti yang telah patik katakan bahawa tujuan patik menunaikan ibadah haji adalah untuk memahami tentang Islam yang sebenar". Beliau percaya bahawa Islam tidak membezakan warna kulit; Islam bukan hanya untuk mereka yang berkulit hitam atau pun putih, tetapi adalah untuk semua. Dengan ini, sudah pastinya tiada sebarang isu yang berkaitan dengan penindasan ataupun mereka yang ditindas. Dan semangat kesatuan antara orang-orang Islam atau *ummah* ini amat jelas sekali kelihatan ketika perhimpunan agung umat Islam ketika musim haji:

"Terdapat berpuluh ribu jemaah haji yang datang dari seluruh pelusuk dunia. Mereka terdiri daripada yang memiliki pelbagai warna kulit, yang mempunyai anak mata berwarna biru dan

berambut perang hinggalah kepada kaum kulit hitam Afrika. Biar pun begitu, kami semua melakukan amalan yang sama, penuh dengan semangat perpaduan dan persaudaraan yang jika mengikut pengalamanku di Amerika aku tidak akan percaya bahawa hubungan sebegini boleh wujud di antara orang kulit putih dan bukan kulit putih."

"Amerika perlu memahami apa itu Islam kerana inilah agama yang dapat menyelesaikan masalah perkauman rakyatnya. Di sepanjang perjalananku di dalam dunia Islam, aku telah bertemu, berkomunikasi, malahan aku duduk makan bersama-sama mereka yang sekiranya di Amerika bolehlah dikatakan sebagai 'putih'– cuma sikap 'putih' seperti yang biasa kulihat telah dihapuskan oleh agama Islam daripada fikiran mereka. Aku tidak pernah sama sekali melihat keikhlasan dan persaudaraan sejati sebelum ini yang diamalkan oleh himpunan manusia yang berbeza warna kulit, yang langsung tidak mengambil kira warna kulit mereka".

"Kalian pasti terkejut dengan apa yang aku katakan ini. Tetapi apa yang telah aku lihat dan alami ketika menunaikan haji, telah berjaya membuka mataku dan mengenepikan beberapa kesimpulanku yang terdahulu. Ia bukanlah sesuatu yang sukar bagiku. Walaupun aku seorang yang berpendirian teguh, aku selalu ingin menjadi manusia yang cuba menghadapi kenyataan, dan menerima hakikat kehidupan sebagai pengalaman dan ilmu yang baru. Aku sentiasa berfikiran terbuka, yang penting untuk kefleksibelan yang diperlukan seiring dengan setiap bentuk pencarian maksud kebenaran yang hakiki.

"Selama sebelas hari di dalam dunia Islam, kami telah makan sepinggan, minum segelas, dan tidur sekatil (atau di atas hamparan yang sama). — berdoa kepada Tuhan yang sama — bersama-sama saudara Islam yang lain, yang memiliki anak mata yang paling biru, rambut yang paling perang, dan kulit yang paling putih. Sama senada dalam perkataan, perlakuan dan perbuatan orang Islam 'berkulit putih', aku dapat rasakan keikhlasan yang sama ketika aku berada di kalangan saudara Islam berkulit hitam Afrika seperti dari Nigeria, Sudan dan Ghana.

"Kami adalah bersaudara — kerana keimanan mereka terhadap Tuhan yang Esa telah melenyapkan 'putih' (perbezaan warna kulit) dari fikiran mereka, tingkahlaku mereka, dan sikap mereka.."

Malcolm X dikenali sebagai El-Hajj Malik El-Shabazz setelah menyempurnakan ibadah hajinya pada 19 April 1964 M / 6 Zulhijjah 1383 H. Pada 21 Februari 1965 M / 19 Syawwal 1384 H, beliau telah dibunuh sewaktu perjumpaan *Organization of Afro-American Unity*.

جماعة حاج ملايو كمكة

Jemaah Haji Melayu ke Makkah
Kepulauan Melayu
Abad ke-15 hingga 20 M / abad ke-9 hingga 15 H

Jemaah Haji Terawal Kepulauan Melayu

Ibadah haji telah direkodkan di dalam sejarah masyarakat Melayu semenjak abad ke 15 M / abad ke 9 H. Ketika zaman Kesultanan Melayu Melaka, Tome Pires yang merupakan seorang pengamal perubatan Portugis telah merekodkan tentang dua orang pemerintah Melaka yang berhasrat menunaikan ibadah haji di Makkah. Pertama, ialah Sultan Mansur Shah, seorang Sultan Melaka yang memerintah dari tahun 1456-1477 M / 860-881 H.

"Diriwayatkan bahawa baginda adalah seorang sultan yang memiliki satu ratus dua puluh quintal emas dan sejumlah besar batu-batu permata yang berharga. Baginda juga telah memutuskan untuk pergi ke Makkah bersama emas yang berganda jumlahnya dan ditempatkan di dalam sebuah jong yang dibina di Jawa dan sebuah lagi kapal besar di Pegu atas titah baginda. Jika baginda tidak gering, baginda telah sampai ke Makkah. Baginda telah membelanjakan duit yang banyak, dan mengumpulkan rakyat jelata untuk belayar."

Di bahagian yang lain pula di dalam *Suma Oriental*, Pires merujuk kepada waris pengganti Sultan Mansur Shah, Sultan Alauddin Riayat Shah yang memerintah dari tahun 1477-1488 M / 881-893 H.

"Sultan telah membuat keputusan untuk pergi ke Makkah. Oleh kerana baginda di Bretam, baginda ingin kembali ke Melaka untuk menyempurnakan persediaan baginda; tetapi setelah tujuh atau lapan hari gering, maka baginda pun mangkat, meninggalkan dua orang putera dan tiga orang puteri."

Namun begitu, catatan Tome Pires ini tidaklah boleh dianggap sebagai rekod terawal berkaitan pelayaran masyarakat Melayu menunaikan haji ke Makkah. Ini kerana ibadah haji itu sendiri merupakan satu kewajipan ke atas umat Islam, maka rukun Islam ini sudah pastinya telah diamalkan semenjak agama Islam pertama kalinya tiba di Kepulauan Melayu oleh kalangan mereka yang berkemampuan.

Dengan peranan Makkah sebagai sebuah pusat pengajian ilmu, kota ini telah menarik ramai pengunjung yang dahagakan ilmu pengetahuan. Kota suci ini mempunyai daya tarikannya yang tersendiri kepada para ulama dari segenap pelusuk dunia Islam. Keadaan ini memberi peluang kepada jemaah dan orang ramai untuk berbincang dan bertukar pandangan antara mereka yang berlatarbelakangkan mazhab yang berbeza, di samping mereka menyempurnakan ibadah haji atau umrah. Sebagai contoh, pada abad ke 19 M / abad ke 13 H, Muhammad Yusuf Ahmad atau lebih di kenali dengan nama Tok Kenali yang merupakan seorang ilmuwan Islam dari Kelantan telah melanjutkan pengajian agama beliau di Makkah ketika berusia lapan belas tahun. Selepas mengharungi pelayaran selama enam bulan, beliau telah memutuskan untuk menetap di Makkah dengan tujuan menuntut sebanyak mungkin ilmu agama daripada para ilmuwan Islam yang termashyur di sana, di samping menunaikan ibadah hajinya.

Tok Kenali kemudiannya telah kembali ke tanah airnya, Kelantan, ketika berusia empat puluh tahun. Beliau telah menubuhkan sebuah pusat pengajian agama yang dikenali dengan nama Pondok Kenali dengan tujuan menyampaikan ilmu agama kepada orang ramai. Selain beliau, terdapat ramai lagi contoh para ilmuwan Islam dari Kepulauan Melayu yang mengambil faedah daripada tradisi intelektual yang diamalkan di Makkah. Antara yang termashyur adalah seperti Hamzah Fansuri, yang belayar ke Makkah pada akhir abad ke 16 M / abad ke 10 H, dan juga Abdul Rauf Singkel yang menunaikan haji pada tahun 1643 M / 1052 H.

Pada abad ke 19-20 M / abad ke 13-14 H, muncul bukti yang lebih banyak berkaitan dengan aktiviti haji masyarakat Melayu. Manuskrip, bahan bercetak dan gambar menawarkan sumber asal bahan berkenaan dengan pelayaran masyarakat Melayu ke Makkah. Munshi Abdullah sebagai contoh, seorang yang terpelajar dan berasal dari kepulauan ini telah merekodkan dengan teliti tentang pelayarannya ke Makkah pada 1854 M / 1270 H di dalam *Hikayat Pelayaran Abdullah*.

Catatan Pengembaraan Orang Melayu

Ramai di kalangan orang Melayu yang terpelajar berminat untuk mengabadikan pengalaman mereka di dalam bentuk tulisan agar dapat berkongsi ilmu yang mereka miliki. Beberapa manuskrip bertulisan jawi yang telah ditemui di Kepulauan Melayu menyentuh pelbagai aspek berkaitan haji, antaranya termasuk catatan-catatan peribadi serta elemen-elemen haji yang bersifat keagamaan.

Selari dengan perkembangan teknologi pencetakkan, peranan manuskrip tulisan tangan telah diambil alih oleh bahan bercetak. Sebagai contoh, Harun Aminurashid, seorang cendiakawan Melayu telah menulis catatan pengembaraannya ke Makkah pada tahun 1960 M / 1379 H di dalam bukunya yang bertajuk *Chatetan ka-Tanah Suchi*. Karya ini ditulis berdasarkan pengembaraannya ke Makkah dengan kapal laut yang diberi nama *Anshun*, ia dikuatkan lagi dengan bukti bergambar yang berkaitan. Dalam salah satu bahagian tulisannya, beliau seakan-akan membawa pembaca belayar bersamanya di dalam kapal tersebut. Perit getir yang dilaluinya dikisahkan seperti berikut:

"Susah menjadi penumpang di dalam bahagian tengah kapal...orang yang ingin menunaikan haji mestilah sabar.....di sini tiada keseronokan atau kebebasan seperti kebiasaanya ketika di darat...kamu terpaksa menanggung kesusahan ini di sepanjang pelayaran pergi dan balik dari menunaikan haji; sabar ialah satu-satunya jalan penyelesaian terbaik."

Harun Aminurashid tidak berseorangan dalam berkongsi keterujaannya menunaikan haji dan juga dalam menyediakan gambaran perjalanan ke Makkah kepada para pembaca. Catatan seperti ini juga telah ditulis oleh Jaafar bin Jusoh Al-Haj dengan tajuk *Perihal Pemergian ke Mekah dan Madinah* yang diterbitkan pada 1937 M / 1355 H. Contoh yang lain pula ialah catatan Haji Ismail bin Haji Ishak dengan tajuk *Ke Mekah Mengikut Jalan Darat* pada tahun 1975 M / 1394 H. Walaupun pendekatan-pendekatan yang mereka gunakan adalah berbeza di antara satu sama lain, tetapi elemen yang berkaitan dengan kesusahan jemaah haji sentiasa cuba di paparkan kepada umum.

Kapsyen

Mukasurat 54-55	Imej daripada koleksi Lady Evelyn Cobbold yang menunjukkan sebuah keluarga yang sedang dalam perjalanan ke Makkah pada tahun 1933 M / 1351 H
Mukasurat 57	Wang emas Dinar kerajaan Abbasiyah ditempa pada 781 M / 165 H semasa pemerintahan Khalifah Al-Mahdi
Mukasurat 58	Pemandangan Kaherah pada abad ke 20 M / abad ke 14 H
Mukasurat 61	Kain tenun sutera jacquard yang digunakan di dalam makam Rasulullah, dari tahun 1992-2002 M / 1413-1423 H. Ia dihasilkan di kilang membuat kiswah Ka'bah, dihiasi dengan tulisan, antaranya, sepotong ayat Al-Qur'an 'Sesungguhnya rumah yang mula-mula dibina untuk manusia beribadat ialah di Bekkah (Makkah)' (Surah Ali Imran: 96)
Mukasurat 63	Imej Mansa Musa di atas peta Eropah bertarikh 1375 M / 776 H
Mukasurat 64-65	Masjid Djenne, Mali, dibina oleh Abu Ishaq As-Sahili pada abad ke 14 M / abad ke 8 H
Mukasurat 67	Unta di Hijaz
Mukasurat 71	Pengemudi bot di Jeddah bersama dengan ketua kesatuan mereka pada abad ke 19 M / abad ke 13 H
Mukasurat 73	Heidan Lama, Damsyik
Mukasurat 75	Sebatang jalan di Damsyik
Mukasurat 79	Kelalang jemaah haji, abad ke 17 M / abad ke 11 H, Deccan, India
Mukasurat 80	Muhammad Asad pada tahun 1932 M / 1350 H
Mukasurat 82	Elsa, isteri kepada Muhammad Asad bersama anak mereka.

Mukasurat 84	Lady Evelyn di ladang Glencarron miliknya di barat laut Scotland
Mukasurat 85	Kebenaran untuk Lady Evelyn menunaikan ibadah hajinya telah diuruskan oleh duta Arab Saudi di London yang bernama Sheikh Hafiz Wahba. Sheikh Hafiz berdiri di sebelah kiri Putera Sa'ud Ibnu Abdul Aziz
Mukasurat 87	Lady Evelyn di Jeddah
Mukasurat 87	Pada tahun 1933 M / 1351 H, Lady Evelyn merupakan orang pertama di kalangan pengembara antarabangsa yang merekodkan kewujudan perkhidmatan bas ke Makkah yang baru beroperasi
Mukasurat 88	Setem Amerika Syarikat, 1999
Mukasurat 90	Jemaah haji dari Zanzibar, Timur Afrika pada abad ke 19 M/ abad ke 13 H
Mukasurat 94-95	Catatan pengembaraan, berkemungkinan berasal dari Semenanjung Tanah Melayu, ditulis dalam tulisan Jawi. Manuskrip ini menerangkan tentang pengalaman peribadi penulis yang mengunjungi Makkah. Tarikh tidak diketahui
Mukasurat 97	Harun Aminurashid, cendiakawan Tanah Melayu berdiri di atas dek kapal yang belayar ke Makkah pada tahun 1960 M / 1379 H
Mukasurat 98	Jemaah haji wanita Jawa yang berasal dari Banten pada abad ke 19 M / abad ke 13 H
Mukasurat 99	Empat jemaah haji dari Acheh, sedang duduk di hadapan dua orang Wakil (mutawwif) mereka. Kepulauan Melayu, abad ke 19 M / abad ke 13 H